110

Bettie Graham Wicker
Queens-Chicora College
606 North Poplar Street
Charlotte, North Carolina

LE SECRET
DE
L'ÉTANG NOIR

JEANNE DANEMARIE

The Century Modern Language Series
Kenneth McKenzie, Editor

JEANNE DANEMARIE
(*Mme Marthe Ponet-Bordeaux*)

LE SECRET DE L'ÉTANG NOIR

AND A REVIEW BY

LÉON DAUDET

EDITED

WITH INTRODUCTION, EXERCISES AND VOCABULARY

BY

MILTON GARVER, PH.D.

INSTRUCTOR IN FRENCH, YALE UNIVERSITY

New York & London
THE CENTURY CO.

PREFACE

I take pleasure in expressing my sincere thanks to Mme. Jeanne Danemarie for her kindness and aid in the preparation of this edition of her novel; to M. Léon Daudet for permission to reproduce his review of "Le Secret de l'Étang Noir"; to Professor Kenneth McKenzie for many helpful suggestions; to my colleague Professor H. B. Richardson for counsel on the exercises; and to M. Joseph Bousquet for aid in various preliminary matters. The text is used by the permission of and special arrangement with the publishers, Plon-Nourrit et Cie, Paris.

The text has been slightly abridged in order to render the reading of the novel more rapid. The questionnaires and exercises follow no grammatical sequence and are intended merely as a guide to teachers who may desire to use the text as a basis for conversation.

M. G.

Yale University,
1925.

INTRODUCTION

Jeanne Danemarie (Madame Marthe Ponet-Bordeaux) was born at Thonon-les-Bains, on the shores of Lake Leman in Haute-Savoie, and has passed there her entire life, except for the four years of the war. These were spent in Lorraine as "Infirmière-major" of the "Société des Secours aux Blessés Militaires." In 1917 and 1918 she was in frequent contact with the American Army hospitals, helping in their installation and, at one time, sharing buildings with them for several months at Neufchateau. Her memories of this period, of the hardships shared in common, the precious white bread and tea and sugar made more precious by the restrictions of war-time, are one of the bright spots of these tragic days.

Madame Danemarie is the youngest daughter of a lawyer of Thonon. Her brother, M. Henry Bordeaux, the distinguished novelist, needs no introduction. Another brother, M. Albert Bordeaux, is a famous engineer and globe-trotter, and the author of numerous scientific works and accounts of travel in Mexico and California. A third brother, General Bordeaux, distinguished himself by his brilliant conduct during the war. Her husband is an attorney at Thonon. The influence of her connections with the legal world may be seen in the present volume.

Up to the present Madame Danemarie has published only short stories and "Le Secret de l'Étang Noir," which appeared in 1923. As her brother, M. Henry Bordeaux, has done in so many of his works, she has chosen Savoy as the setting of her novel; and she has drawn a charming picture of family life in the country as it existed before the present invasion of travellers and automobiles, and as it still exists in many places in spite of this invasion. The influx of tourists into what has become a summer and winter playground will have great difficulty in breaking down the walls which the French have built up to protect the privacy of their homes. Those who have had the pleasure of visiting in the country in France will easily recognize the accuracy of her descriptions of the social relations between neighbors who must depend on each other for the few amusements they may have; and the simplicity of French family life is reflected in the simplicity of the story and of the style. Mingled with this picture is the unsolved mystery of a crime; the terror of it pervades the whole book, and it is only indirectly explained in the last few pages.

Madame Danemarie has another novel ready for the press, "L'Amour souffle où il veut," a story of tragic love in the rustic and poetical setting of the Alps, and proposes, in future works, to continue her studies of life in the deep and lonely valleys of Savoy.

M. Léon Daudet, the writer of a keen review of "Le Secret de l'Étang Noir," which is published in this volume, is a son of the famous novelist Alphonse Daudet, and one of the leaders of opinion and ideas in France. He has been deputy for Paris in Parliament, is one of the directors of the Royalist movement and one of the political editors of "L'Action Française," the Paris Royalist daily newspaper. In addition to his political activities, he is the author of a long series of distinguished novels, interesting memoirs of his active life, and critical works. At the present moment he is engaged in solving the mysterious death of his young son, a crime which remains one of the blackest spots in the police annals of Paris for many years and which may grow to the proportions of a political scandal.

Auvers-sur-Oise,
September 10, 1924.

REVIEW OF "LE SECRET DE L'ÉTANG NOIR"

Qui est Jeanne Danemarie? Une débutante, j'imagine, car son roman récemment paru, *le Secret de l'Étang Noir* ne porte à sa feuille de garde aucune indication d'un ouvrage antérieur, et je n'ai vu encore son nom dans aucun catalogue, ni dans aucun journal. Ce que je sais, c'est que voici une romancière née, possédant au plus haut point le don de l'intérêt, avec un sens psychologique extrêmement rare chez les personnes de son sexe. Je veux dire: un sens psychologique extériorisé, appliqué à l'observation et à l'analyse d'autrui. Le plus souvent, en effet, les romans des jeunes dames notoires—et se croyant volontiers illustres—dont on nous fatigue les oreilles, sont, ou des autobiographies plus ou moins déformées, ou de fantasques rêveries devant le miroir, accompagnées, comme chez le pauvre Loti, du regret, si vain, de vieillir et de devoir mourir.

L'auteur du *Secret de l'Étang Noir* sait conter. Vous entendez bien: Madame Jeanne Danemarie, dont le nom, demain, va retentir un peu partout, grâce au succès certain de son livre, Madame Danemarie n'a écrit ni une confidence, ni un roman policier, ni un récit de voyage aux Antilles, en Asie, en Afrique. Elle a écrit, avec art et sobriété, un conte tragique, soutenu, harmonieux, dont la trame lui appartient en propre et eût enchanté le plus grand écrivain du second tiers du dix-neuvième siècle, écrivain si méconnu, si inconnu: Barbey d'Aurevilly. Deux frères, de caractère divers, obscur et heurté, une jeune fille inquiétante, une enfant nerveuse, hantée par une vision atroce, composent les personnages de

La peur de vivre

cette histoire de campagne, et nullement rustique, au plein soleil et pourtant pénombreuse, que n'encombre aucune vaine description. Mon père, qui savait conter, disait qu'un auteur vaut peut-être plus par ce qu'il ne dit pas, par ce qu'il élude, supprime, et donc suggère, que par ce qu'il exprime.

Il y a eu au dix-neuvième, au stupide dix-neuvième, une romancière, et dépassant en stupidité les gloires les plus stupides de son triste temps. J'ai nommé George Sand, prolixe, diffuse et absurde quelquefois, mais, quand elle suivait sa nature et non sa chimère, étonnamment douée pour le conte. Aussi évocatrice alors, en quelques mots, qu'elle l'est peu, ailleurs, en de longues pages, George Sand— dépouillée de la *lactea ubertas* que Nietzsche lui reprochait justement—est un maître. Cependant ni *la Petite Fadette*, ni la *Mare au Diable* ne valent, à mon avis, le *Secret de l'Étang Noir*. Le génie du conteur est d'origine mystérieuse, ainsi qu'il apparaît dans ces contes bretons, gascons, provençaux, qu'ont recueillis un Le Braz, un Bladé, un Roumanille. La pointe du bon sens y demeure acérée, comme dans le proverbe, ou le dicton. Enfin l'art du conteur —ou de la conteuse—consiste à évoquer les sites et décors de l'action, non par de longues et fastidieuses descriptions, mais par réfraction ou endosmose à travers la sensibilité ou l'imagination des personnages. Toutes les gammes du rose, évoquées par Loti, déjà nommé, pour me peindre Constantinople et l'Orient ne valent point à mes yeux le vers haïlucinant de Racine :

> *Dans l'Orient désert quel devint mon ennui!*

Aucune description de Venise n'est, à mes yeux ni à mes oreilles, comparable à quelques répliques d'*Othello*.

Dans quelques vers ardents sur "Zani la brune," Aubanel fait tenir pour mon frisson, toutes les lumières, tous les parfums, toutes les routes, blanches et bleues, de ma mère Provence. Ainsi de suite.

Tel quel, *le Secret de l'Étang Noir* surprendra par son apparente simplicité et par le nu du récit, ceux qui croient justement que l'embrouille est le dernier mot de l'analyse. L'auteur ne dit que le nécessaire, mais dit aussi TOUT le nécessaire. Sa vision des êtres et des circonstances n'est ni frénétique, ni forcée, ni même passionnée. Ah! la passion. Que de mauvaises pages—je veux dire insignifiantes—on écrit en ton nom! Les romancières surtout s'imaginent volontiers que les passions fortes s'expriment par un débordement de vocables, ou de peintures sensuelles. Les jeunes romanciers aussi croient cela. Alors que c'est la contention et la retenue qui témoignent de l'énergie passionnelle. Dans son beau livre, Jeanne Danemarie nous montre l'effet d'une passion—la haine de frère à frère—allant jusqu'au crime. Or le résultat de terreur est obtenu—de cette terreur psychique, qu'on prétend la plus grande de toutes—sans aucun effort verbal, ni même physique. L'émotion arrive sournoisement, comme la catastrophe. Les grands événements sont toujours sournois et leur origine serpentante demeure obscure à la courte observation des humains.

Ou je me trompe fort, ou, dans un genre différent, *le Secret de l'Étang Noir* peut obtenir un succès analogue à l'immense succès de *Maria Chapdelaine*, par le fait qu'il traite et développe un ensemble de sentiments normaux et familiaux, commun à beaucoup de personnes, et qu'il précise aussi un mystère, de qualité inquiétante et courante.

Aucun raffiné ne le dédaignera pour cela, si, dépassant tout préjugé, il cherche, à travers le simple comme à travers le complexe, cet autre étrange secret: l'émotion transmise par l'imprimé; le transfert d'une âme vers d'autres âmes, par le moyen de l'encre et du papier.

LÉON DAUDET.
député de Paris.

[L'Action Française,
    July 8, 1923.]

CONTENTS

		PAGE
INTRODUCTION	. . . .	vii
REVIEW BY LÉON DAUDET	. . . .	xi
LE SECRET DE L'ÉTANG NOIR	. . . .	3
EXERCISES	. . . .	101
VOCABULARY	. . . .	115

LE SECRET DE L'ÉTANG NOIR

LE SECRET DE L'ÉTANG NOIR

I

Qu'auriez-vous fait à ma place?

Cette question que je pose en moi-même depuis si longtemps, il faut que je la pose à quelqu'un afin de rendre la
paix à mon esprit, car j'ai passé par des jours et des nuits
de terrible angoisse. Vous qui lirez ce récit, dites ce que 5
vous auriez fait à ma place, mais avant de me juger, sachez
que je suis vieille et usée, que la vie m'a été dure et que je
suis toute seule pour en porter le poids.

Mon mari qui était médecin dans une petite ville de
Savoie, est mort très jeune, d'une mauvaise grippe qu'il n'a 10
pas pris le temps de soigner. Mon gendre a été emporté
brusquement par une maladie de cœur, et ma fille, ma jolie
Suzanne dont la grâce et la tendresse avaient été la joie de
ma jeunesse solitaire, est morte en couches, d'une rougeole,
disait un docteur, d'une grippe infectieuse, disait un autre. 15
Peu importe, il m'a fallu fermer aussi cette tombe.

Ces rafales de douleur m'ont laissée sans forces pour continuer la vie. Pourtant j'ai dû m'y rattacher: sur toutes ces cen-
dres une fleur a poussé. J'ai une petite-fille, une petite Cécile
doublement aimée parce qu'elle a la grâce de sa mère et parce 20
que dans ses yeux bleus je retrouve l'expression ardente des
yeux de celui qui aurait dû être le compagnon de toute ma vie.

Laissez-moi vous présenter cette enfant. Il faut que vous
la connaissiez, car c'est elle l'héroïne de l'horrible drame qui
hante mon esprit. 25

Elle était là tout à l'heure, près de moi; elle a sept ans aujourd'hui, mais lorsque *la chose* s'est passée, elle en avait cinq seulement. Elle a un peu grandi, en deux ans, mais elle est toujours un petit paquet de nerfs, toute vibrante, impressionnable et imaginative.

Elle était là tout à l'heure, accroupie sur mon grand divan, ses petits pieds posés sans gêne sur le beau drap cuivre, ses boucles blondes répandues sur le coussin. Elle se balançait en se racontant à elle-même une histoire, et je regardais en souriant son profil indécis, sa joue rose que j'aime tant à presser contre la mienne.

Je ne sais à quoi comparer son petit corps svelte et agile, toujours en mouvement, léger comme un souffle. Elle peut être partout à la fois; vous la croyez au jardin, elle est au grenier; vous l'avez vue à la salle à manger et elle est au fond du bois de châtaigniers. Pendant des semaines, j'ai usé mes pauvres jambes à courir à sa poursuite, puis j'ai dû renoncer à cette course éperdue et j'ai pris avec moi Rosine, une petite bonne de quinze ans, qui a pour mission de ne jamais la quitter.

Et j'ai eu dès lors un peu de repos. Rosine aussi aime à courir et elle sait écouter avec patience les bribes d'histoires que Cécile jette au vent au cours de ses allées et venues. Car elle juge inutile de raconter à haute voix une histoire, c'est trop long sans doute; sa petite langue pourtant bien affilée ne peut suivre son imagination, et il faut savoir deviner par quelques mots jetés de-ci, de-là, quels sont les personnages avec lesquels elle est occupée.

Je lui ai lu un jour quelques pages du *Livre de la Jungle* et elle s'est emparée de ce récit avec une incroyable ardeur. Elle disparaissait dans le bois-taillis pendant des heures entières, suivie de Rosine heureusement, et me racontait au retour qu'elle avait couru avec les loups, avec Baloo le vieil ours, Baghera la panthère et rencontré sous la forme de lézards les enfants du serpent Kaa. Elle se prenait elle-même pour une sœur du petit Mowgli.

Mais je ne m'arrêterais pas si je voulais vous raconter tous les traits de l'invention de ma petite chérie. Il suffit que vous sachiez qu'elle a une imagination passionnée. Bientôt vous saurez pourquoi.

Je vous disais donc que tout à l'heure elle se balançait sur mon divan en se racontant à elle-même une histoire. D'ordinaire les histoires qu'elle se raconte sont amusantes, je le devine à ses gestes et à l'expression de son visage; mais ce matin,—et c'est cela qui m'a mis la plume à la main,—ce matin après un début orageux, j'ai entendu tout à coup ces mots dits d'une voix tragique: Alors puisqu'il est si méchant, on *va le jeter dans l'Etang Noir!*

Oh! cette phrase, je ne puis l'entendre! Si vous m'aviez vue! L'ouvrage est tombé de mes mains et avant d'avoir eu le temps de réfléchir, j'étais debout derrière la fillette, toute tremblante. Mais j'ai eu la force de me contenir, je n'ai rien dit à la petite, je suis allée à la cuisine et sans répondre à ma vieille cuisinière qui me demandait pourquoi j'étais si pâle, j'ai ordonné à Rosine de laisser le poulet qu'elle plumait, d'aller mettre à Cécile ses chaussures et son chapeau et de l'emmener sous les châtaigniers.

—Vous jouerez ensemble avec les raquettes, ai-je ajouté.

Un quart d'heure plus tard, les deux fillettes s'ébattaient sous les arbres, et moi, revenue de l'émotion produite par les mots qu'avait prononcés ma petite-fille, je ressassais pour la centième fois dans mon esprit le drame dont je voudrais arracher la vision à l'enfant.

Y parviendrais-je jamais?

II

DONC il y a deux ans, pendant le beau mois de juin 1913, nous étions paisiblement installées, ma petite-fille et moi, dans notre maison de campagne, perdue sous les arbres d'un hameau de Savoie.

Notre maison est le type de la vraie maison de campagne savoyarde; le rez-de-chaussée est occupé par les fermiers; on y accède par une porte au nord, et une autre porte d'entrée au midi conduit au premier étage où se trouve l'appartement de maître. L'habitation est large, les pièces sont immenses.

Du côté du levant s'étale sur le vieux mur de la maison les signes cabalistiques d'un cadran solaire et on peut lire encore ces mots à peine effacés: *Oras non numero, nisi serenas* (je ne compte que les heures sereines). Celui ou celle qui a placé là cette parole l'a bien choisie. La sérénité habite ce petit coin de terre, elle sort de partout, si reposante.

Sans cette sérénité de la nature qui m'entoure, comment aurais-je pu supporter le poids des événements tragiques qui allaient troubler ma solitude si douloureusement?

Le hameau comporte deux maisons, la mienne et une autre métairie occupée par de braves gens. Je ne parle pas des vastes bâtiments, granges, écuries et hangars qui se disséminent sous les vieux tilleuls presque trop touffus.

En cette saison, à la campagne, tout le monde travaille aux champs et notre hameau isolé est souvent très solitaire. Mais nous sommes bien gardés: à l'entrée du chemin, un grand chien-loup qui répond au nom d'Ajax veille en sentinelle. On le sait méchant, et bien qu'il soit attaché le jour, on peut craindre que dans un mouvement de colère il ne brise sa chaîne.

Avec ce gardien nous sommes tranquilles et si nous ne passons jamais très près de lui—car il ne connaît que son maître,—nous l'aimons et de loin Cécile lui adresse toujours quelques bonnes paroles.

Le village dont dépend le hameau est à trois quarts d'heure de route. Au delà, à peu près à la même distance se dresse le château de Ploye, un vieux petit castel savoyard adossé à une colline couverte de bois et précédé d'un très beau domaine.

La grande ferme est à côté, les arbres du parc sont magnifiques, et de beaux champs de blé, de belles prairies s'étendent au loin.

La châtelaine, Mme de Veyres, est une de mes vieilles amies. Elle est mon aînée de quelques années à peine; je l'aime beaucoup, nous voisinons aussi souvent que nous le pouvons. Elle a connu mon mari qui était son conseiller et j'ai assisté à ses deux mariages. Elle est veuve comme moi, mais plus heureuse, elle avait gardé ses deux fils.

Le paysage si riant autour de chez moi est un peu triste à Ploye. Cela tient à la colline boisée trop rapprochée qui couvre d'ombre toute une partie du château pendant de longues heures. J'ai toujours pensé que cette tristesse du paysage était pour beaucoup dans le caractère sombre et renfermé du fils aîné de mon amie, dont la jeunesse s'était passée toute entière à Ploye.

Ce dimanche de juin j'avais emmené ma petite-fille au château. C'était sa première visite, bien que Mme de Veyres l'eût réclamée plusieurs fois. La voiture roulait sur la route ensoleillée, le temps était charmant, les cloches des villages des alentours sonnaient joyeusement les vêpres. A droite la route était bordée par un bois touffu où devait régner une douce fraîcheur.

Un joli chemin nous apparut tout à coup qui s'enfonçait sous les arbres. Je le montrai à Cécile.

—Au bout de ce chemin, il y a un bel étang qu'on appelle l'Etang Noir, dis-je.

Pourquoi ai-je parlé?   Ne faut-il pas toujours causer avec les enfants?   Ah! si j'avais su!

—Oh! grand'mère, allons-y, fit la petite se dressant déjà pour arrêter la voiture et sauter sur la route.

—Pas aujourd'hui, c'est assez loin, l'étang est derrière cette colline que tu vois là-bas.

—Est-il grand?

—Oui.

—Oh! je voudrais le voir.

—Nous irons un jour.

—Veux-tu m'y conduire demain, grand'mère?

—Pas demain, je ne puis pas pendant la semaine déranger le fermier pour nous promener en voiture.

—Nous irons à pied.

—C'est trop loin.

—On s'assiéra en route.

—La terre est trop basse pour moi, ma chérie.

—Je porterai ton pliant.

—Nous verrons cela, Cécile.

Elle se tut, mais je vis bien que sa petite imagination vagabondait du côté de l'Etang Noir.   Elle me dit tout à coup, d'un air de reproche:

—Pourquoi ne m'as-tu jamais parlé de cet étang?

—Parce que je n'y ai pas pensé, répondis-je en riant.

—Crois-tu qu'il y ait des lions et des loups dans le bois?

—Sûrement non, tout au plus quelques écureuils.

—Mais si, mais si, il y a des animaux sauvages, reprit-elle d'un ton impérieux.   Tu ne t'en rappelles plus parce qu'il y a longtemps que tu n'y es pas venue.

—Pourtant, cela m'aurait frappé, fis-je en riant tout à fait.

Mais elle ne parut pas m'entendre et se plongea dans ses réflexions.

Cependant le village était devant nous, tout pimpant dans la jolie lumière d'été; le clocher pointu de son église brillait joyeusement au soleil. Sur la route, au seuil de la première maison, une femme s'approcha de nous; c'était la sœur de la nourrice de Cécile. 5

—Vous ne m'amenez jamais la petite, dit-elle, pourtant elle se plairait chez nous; j'ai des lapins et des poussins tout petits, tout petits. Quand venez-vous les voir, mademoiselle Cécile?

Gravement, ma petite-fille étendit la main, comme pour 10 la repousser.

—Après l'Etang Noir, dit-elle.

—Ah! vous voulez voir l'Etang! On dit qu'il y a de beaux nénuphars et ils doivent être en fleurs aujourd'hui.

Elle nous laissa. La voiture dépassant le village était 15 maintenant sur la route de Ploye. Le petit castel se devinait à peine dans le fouillis des arbres du parc; sa tour apparut à un tournant et je la montrai à Cécile qui ne regarda même pas et me demanda:

—Grand'mère, est-ce blanc ou rouge, un nénuphar? 20

Décidément l'Etang retenait toute son attention.

A l'entrée du domaine, je voulus descendre de voiture, le fermier avait une course à faire au village voisin et je jugeai inutile de lui imposer un détour pour aller jusqu'au château. D'ailleurs, je préférais marcher un peu et au lieu de suivre 25 l'avenue je pris un sentier sous les arbres.

A la porte du château, Cécile intimidée prit ma main. Là un beau massif de capucines en fleurs fit sa conquête et elle oublia toute crainte. Lorsqu'on vint ouvrir elle était encore en extase et ne répondait pas à mon appel. Une voix 30 d'homme se fit entendre derrière nous:

—Voulez-vous me la laisser, madame, elle va faire un bouquet avec moi et vous rejoindra tout à l'heure.

Cécile tressaillit et bondit vers moi effrayée.

Je me retournai, c'était Rodolphe de Balmes, le fils aîné de mon amie, fils de son premier mariage, un beau garçon de trente-cinq ans, brun, large d'épaules, mi-paysan, mi-gentil-homme, s'occupant depuis sa jeunesse du domaine de sa
5 mère.

J'aimais cet enfant que j'avais vu grandir et qui avait été plus d'une fois le compagnon de jeu de ma jolie Suzanne. Je le savais d'humeur sauvage, mais sérieux et bon, et tandis que je permettais à ma fille les promenades et les jeux
10 avec lui, je me souviens que j'hésitais toujours à la laisser aller lorsque son frère Pierre était avec eux. Malgré les traits irréguliers et un peu durs de Rodolphe de Balmes, ses yeux noirs avaient un regard loyal qui retenait la sympathie. En ce moment je crus lire en eux une certaine tristesse et
15 sous son affectueux sourire de bienvenue, je devinai une peine. Qu'avait-il?

—Veux-tu rester avec Rodolphe? dis-je à Cécile avec in-crédulité, car la fillette est timide.

Mais elle avait plongé ses yeux bleus dans ceux du jeune
20 homme et sans doute il lui avait plu, car après une impercep-tible hésitation, elle prit sa main et me dit d'un ton délibéré:

—Oui, grand'mère, vous pouvez me laisser.

Je montai donc seule vers mon amie. Mme de Veyres était dans son grand salon, à sa place accoutumée près de la
25 table encastrée dans la large fenêtre qui ouvre sur les prairies. Que de beaux couchers de soleil, j'ai vu de là! Ils illu-minent pour moi le vieux salon et mon amie en reste tout auréolée dans mon souvenir.

Elle n'a plus aujourd'hui cette beauté qui pendant vingt
30 ans faisait l'admiration de ceux qui l'ont connue. Par co-quetterie elle garde toujours sur la table près d'elle une mi-niature qui la représente dans sa jeunesse, et je puis attester que la ressemblance est exacte; c'était bien elle, avec cette taille mince et élancée, ces yeux brillants comme des saphirs,

ces cheveux chatains souples et ondulés, ce teint éclatant,
cette grâce inimitable que le peintre a su rendre.   Mais qui
la reconnaîtrait dans cette femme épaissie aux yeux perdus
dans les joues flasques, aux cheveux gris, aux mains déformées par les rhumatismes?   Ah! la jeunesse, quel beau don!

Toute cette beauté perdue elle l'a léguée à son second fils
Pierre de Veyres, un garçon de vingt-cinq ans je crois, très
beau, mais hélas! faible et paresseux.

Pourtant j'exagère, mon amie a gardé un charme très
grand, indéfinissable, fait de grâce naturelle et de bonté dé-
bordante.   Peut-être cette bonté a-t-elle été peu judicieuse
comme on le dit autour d'elle, quand il s'est agi de l'éduca-
tion de ses enfants; ils ont manqué de direction surtout le
cadet dont le père mourut lorsque son fils était à peine âgé
de quatre ans.

—Vous savez que j'ai mes deux fils avec moi, me dit-elle
lorsque je fus assise à ses côtés.

—Pierre est revenu?   Je le croyais à ses études.

—Il y a renoncé.   Le pauvre enfant a beaucoup travaillé
cet hiver; au printemps il s'est senti souffrant, il a lutté deux
mois, puis il a fini par m'écrire et j'ai exigé son retour ici.
La santé passe avant tout.

Je ne pus retenir un geste de doute.   Comment la pauvre
femme pouvait-elle penser que je croirais à la vérité d'une
maladie qui arrêtait les études de son fils Pierre?   Mais
depuis son enfance les prétextes de toutes sortes ne s'étaient-
ils pas toujours multipliés comme par enchantement pour
l'empêcher de travailler?   J'aurais souri sans la véritable
affection que je ressens pour mon amie.

Je lui posai une question que ma vieille amitié pouvait se
permettre:

—Alors vous avez renoncé à le voir entrer comme son père
dans la carrière consulaire?   Que va-t-il faire?   Y a-t-il ici
dans votre domaine de quoi occuper vos deux fils?

—Ah! c'est mon souci, répondit-elle en soupirant. Et
encore le moment présent n'est rien, c'est l'avenir qui m'inquiète. Vous savez que je suis malade, j'ai une lésion au
cœur depuis longtemps. Il faut que je mette en règle mes
5 affaires, que je fasse mon testament. Et je suis si embarrassée pour mon domaine. Rodolphe en serait tout naturellement le propriétaire, il le connaît et l'aime. Mais voilà
que Pierre aussi s'en est épris, et c'est peut-être le seul moyen
de lui faire une situation que de le lui laisser. Il est si . . .
10 si peu sérieux que si je le renvoie d'ici il mangera sa fortune
et deviendra Dieu sait quoi! . . . Tandis que Rodolphe sera
partout un travailleur. J'ai eu l'imprudence de les consulter
à ce sujet et je sens depuis lors un antagonisme entre eux.
Enlever le domaine à Rodolphe serait injuste, il y a travaillé
15 toute sa vie, mais en écarter Pierre serait dangereux. Que
faire? Que faire?

Un conseil était bien difficile à donner. Je n'en eus d'ailleurs pas le temps, la porte s'ouvrait et ma petite Cécile
entrait donnant la main à ses deux nouveaux amis, car Pierre
20 les avait rejoints. C'était un amusant tableau qui nous fit
sourire toutes deux.

—Eh bien, Cécile, dit Mme de Veyres, voulez-vous venir
m'embrasser?

Elle hésita à lâcher les mains des jeunes gens qui riaient.

25 —Vous aimez bien mes fils, cela me fait plaisir, reprit
mon amie.

—Ils m'ont promis un petit agneau, et elle regarda Rodolphe et un panier de cerises, et elle regarda Pierre.

—Il faudra qu'ils tiennent parole.

30 —Tenez, en attendant, voici un bouquet de bruyères
blanches, fit Pierre en montrant une jardinière de Saxe toute
fleurie. Vous l'emporterez, c'est une fleur rare, on ne la
trouve que dans un endroit très caché. C'est tout à fait le
bouquet qui convient à une petite fée comme vous.

—Oui, et j'aurais aussi les capucines, répondit Cécile en regardant Rodolphe gravement. Elle trouvait tout naturel d'être traitée de petite fée.

Les jeunes gens s'assirent et goûtèrent avec nous. Gentiment Pierre coupait les tartines de ma petite-fille qui le laissait faire, le tutoyant sans façon. Il riait et voulut la prendre sur ses genoux; elle refusa sur un signe de moi.

Rodolphe me parut soucieux. Dans son visage, hâlé par la vie au grand air, ses yeux noirs laissaient lire une profonde mélancolie. L'hésitation de sa mère au sujet du domaine devait lui être très pénible et peut-être comprenait-il les inquiétudes données par son cadet.

Pierre était gai, l'insouciance se lisait dans ses yeux bleus; je ne pouvais m'empêcher d'admirer ses traits fins, ombrés d'or aux cils et à la moustache, sa taille élégante et la grâce virile de ses mouvements. Il me parut être de ceux dont la vie s'arrange toujours, pour qui les événements se groupent au mieux afin de leur faire une existence facile. Il y a ainsi dans le monde de ces êtres égoistes que le destin berce au gré de leurs désirs.

Je ne sais pourquoi j'eus le cœur serré en regardant les yeux de son frère voilés de tristesse. Etait-ce un pressentiment?

Nous finissions de goûter lorsqu'un ronflement d'automobile se fit entendre. Pierre qui s'était levé pour regarder par la fenêtre, dit joyeusement:

—C'est Berthe Lauranne.

Et il sortit en hâte du salon.

Rodolphe s'était levé aussi. Je remarquai que son teint brun avait pâli et que ses yeux noirs s'enfonçaient comme sous le coup d'une émotion profonde.

Déjà mon amie s'agitait, sonnait pour que la femme de chambre rapporte du thé et des tartines. Bientôt une charmante jeune fille pénétra dans le salon, suivie de Pierre de Veyres. Je la connaissais peu jusqu'alors; ses parents possédaient une superbe villa à une assez grande distance de Ploye. On les disait très riches, ils n'avaient que cette enfant.

Elle était vraiment charmante cette jeune Parisienne, blonde et gracieuse. Elle me plut au premier abord et je la suivais des yeux avec plaisir tandis qu'elle embrassait ma vieille amie, serrait la main aux jeunes gens et se mettait en frais de gaieté pour ma petite Cécile.

Cependant je crus saisir dans ses manières un peu de cette grâce factice qui dénote toujours une coquetterie instinctive, cette grâce que les gens du monde revêtent comme un uniforme et qui leur enlève toute personnalité. Je la regardais avec plus d'attention : son visage mince et effilé, au teint rose, à l'ovale parfait, s'encadrait de cheveux d'un blond clair à peine frisés; un nez légèrement aquilin donnait à cette jeune physionomie une certaine noblesse, mais les yeux surtout étaient caractéristiques : d'un bleu foncé, largement fendus, aux longs cils presque châtains; une flamme moqueuse y brillait, étrangement accentuée par un pli dédaigneux de la bouche.

Sa toilette toute blanche était d'un *chic* impeccable. Vraiment elle était séduisante et sa voix claire, un peu chantante, achevait de lui donner un charme souverain.

Debout et accoudé au fauteuil de sa mère, Rodolphe la regardait de ses yeux profonds.

—Alors vous arrivez de Paris? demanda Pierre.

—Oui, et je ne veux plus y retourner, répondit-elle d'une voix d'enfant gâtée.

—Comment?

—Oui, sitôt que j'arrive en Savoie, je n'aime plus Paris. Ce pays est trop beau, comment peut-on s'en aller quand on y a vécu quelque temps?

En prononçant ces mots elle me parut forcer un peu la note.

—Il faut vous marier ici, dit gravement Cécile.

Nous rîmes tous et la jeune fille continua gaiement:

—Papa me dit la même chose, mais maman prétend que je m'ennuierais en hiver. Moi je sais bien que non. Qu'est-ce que je fais à Paris en hiver? Je vais à des concerts, à des expositions, à des conférences. Si l'envie m'en prend, ce n'est pas difficile d'aller passer une semaine dans la capitale.

Les jeunes gens la dévoraient des yeux et je remarquai la différence de l'expression des deux visages. Les yeux bleus du plus jeune brillaient d'un vif éclat et sous sa moustache d'un blond doré sa bouche ne cessait de sourire; il donnait la réplique avec entrain à la jeune Parisienne si fraîche dans sa robe blanche.

Rodolphe, beaucoup moins formé aux usages du monde par le fait de ses habitudes de sauvagerie, se tenait sur son fauteuil, raide et silencieux. Je fus frappée de sa pâleur et de la tristesse concentrée de son regard. A plusieurs reprises son frère me parut se moquer de son attitude gênée.

Tandis que les jeunes gens recommençaient à goûter pour tenir compagnie à Mlle Lauranne la porte s'ouvrit tout à coup et un petit berger sale et ébouriffé montra sa tête. D'un geste impérieux Rodolphe lui fit signe de ne pas entrer. La petite tête disparut, mais une seconde après la porte s'ouvrait de nouveau et le visage anxieux du petit homme reparaissait.

—Que veux-tu? dit Pierre qui était le plus rapproché de la porte.

—Pas vous, fit l'enfant dont le regard angoissé se tendait vers Rodolphe. Pas vous, c'est M. Rodolphe que je veux.

Et passant rapidement devant Pierre qui s'écarta en regardant avec dégoût les vêtements terreux de l'enfant, celui-ci marcha droit sur Rodolphe qu'il tira par sa manche.

—Venez vite, monsieur, la vache est malade, elle étouffe, je ne sais pas ce qu'elle a, papa n'est pas là.

Rodolphe se leva très vite et posa sa tasse de thé. Pierre éclata de rire.

—Je ne te savais pas vétérinaire, dit-il narquoisement.

Je remarquai que Rodolphe avait rougi, comme s'il était humilié d'être rappelé devant Mlle Lauranne à ses fonctions d'agriculteur. Quand il fut parti, celle-ci dit à Pierre:

—Vous pouvez bien vous moquer! Si votre frère n'était pas là, que feriez-vous? Qu'est-ce qu'on fait à une vache qui étouffe? Tous les paysans doivent savoir ça.

—Eh! je ne suis pas un paysan, répondit Pierre qui se leva, montrant avec fierté dans ce mouvement sa taille élégante.

—Ton frère non plus, fit mon amie tout en jetant un regard admiratif à son fils.

Un quart d'heure après Rodolphe rentrait.

—Ta vache est déjà guérie? s'exclama Pierre.

—Oui.

—Qu'avait-elle? demanda Mlle Lauranne.

—Rien de grave. On l'a conduit paître dans un verger où les arbres ont une telle abondance de fruits cette année que beaucoup déjà tombent à terre. La vache, heureuse de l'aubaine, en a mangé à s'étouffer.

—Et que lui avez-vous fait?

—Oh! mademoiselle, j'ai pris le moyen rapide. J'ai ouvert sa gueule et j'en ai retiré ce qui la gênait.

—Pouah! fit Pierre, avec tes mains? les as-tu lavées?

Au lieu de lui répondre en riant, Rodolphe jeta à son frère un regard vexé. Je pris son parti.

—Pierre, vous oubliez que sans votre frère, le lait vous ferait défaut demain à votre déjeuner.

—Il n'y a pas qu'une vache ici, madame, dit celui-ci indigné.

—Si, dit son frère, je n'en garde qu'une à cette époque, les autres sont parties la semaine dernière pour la montagne.

—Que vous êtes ignorant des usages de la ferme! fit à son tour Mlle Lauranne en s'adressant à Pierre.

—Sur les vaches seulement je suis ignorant! Si vous saviez, mademoiselle, ce que je suis savant sur les abeilles!

Mon amie interrogea son fils aîné:

—Où est donc le fermier?

—Avec le géomètre. Ils mesurent le bois-taillis que j'ai donné l'ordre de couper.

—Tu fais couper le bois-taillis? demanda Pierre en quittant brusquement le siège qu'il occupait à côté de Mlle Lauranne.

Rodolphe le toisa dédaigneusement.

—Oui. Qu'est-ce que cela peut te faire?

—Tu aurais pu me demander mon avis.

—Pourquoi?

—Parce que tu n'es pas le seul maître ici.

Un geste de mon amie arrêta la discussion qui allait jaillir. D'ailleurs la présence de Mlle Lauranne et la mienne auraient suffi pour cela. Ils s'écartèrent l'un de l'autre et Pierre revint prendre sa place près de la jeune fille.

On se remit à causer gaiement, le nuage était dissipé entre les deux frères, du moins pour le moment; mais ce petit incident m'avait laissé songeuse.

Tandis que je causais avec mon amie, laissant les jeunes gens entre eux, j'entendis que ma voiture s'arrêtait devant la porte du château. Justement Pierre proposait à Mlle Lauranne de faire un tour de promenade et je voulus profiter du mouvement général pour partir.

Mais Mme de Veyres s'interposa.

—Ma chère Marie, dit-elle, faites-moi un grand plaisir. Restez avec nous ce soir. Renvoyez votre fermier qui préviendra chez vous et je vous ferai reconduire demain matin.

J'hésitai, peu portée par goût naturel à m'attarder loin de mon logis.

—J'ai un joli petit lit pour Cécile, ajouta mon amie en regardant ma petite chérie.

Celle-ci bondit de joie.

—Oh! oui, grand'mère, restons ce soir. Ce sera si drôle de coucher ici.

—Mais je n'ai pas de linge de nuit.

—Je vous en prêterai.

—A moi aussi? fit Cécile.

—A vous aussi. J'ai de belles camisoles brodées qui doivent avoir tout juste la taille d'une de vos chemises de nuit.

La petite figure de Cécile marquait un tel plaisir à l'idée de passer une nuit à Ploye que je me décidai à accepter.

Ma vieille amie me remercia avec effusion:

—Les années passent, dit-elle, voyez, je suis devenue impotente; vous-même sortez rarement, profitons un peu de ce jour.

En même temps que nous, les trois jeunes gens s'étaient levés:

—Nous allons faire le tour du parc, dit Rodolphe à sa mère.

—Allez, mes enfants, mais j'ai comploté contre votre liberté, mademoiselle. Dînez avec nous; mon amie et sa petite-fille restent, Cécile est ravie de changer de maison pour un soir, restez aussi. Mes fils vous feront la cour pendant que nous réveillerons de vieux souvenirs, mon amie et moi.

Berthe Lauranne sourit, ses yeux moqueurs fixèrent les jeunes gens qui appuyaient avec empressement l'invitation de leur mère.

Pierre marchait déjà vers la porte pour aller prévenir le chauffeur, elle l'arrêta:

—J'accepte, madame, et je vous remercie. Je suis comme Cécile, j'aime le changement. Je vais moi-même donner des ordres au chauffeur.

—Prévenez en même temps le fermier de Mme Arvinjaud, dit mon amie à ses fils qui sortaient avec elle. Rodolphe seul entendit, et se chargea de mes explications pour ma maisonnée.

—La vieille Marie sera furieuse, fit Cécile en sautillant.

—Elle a mauvais caractère? questionna Mme de Veyres.

—Oh! c'est un véritable insecte bourdonnant, répondis-je en riant, elle aime gronder.

—Et piquer, ajouta Cécile qui supporte mal les rebuffades de la vieille bonne.

—Je vais faire installer votre chambre, reprit Mme de Veyres en se levant péniblement.

—Je suis sûre que c'est une très belle chambre, fit Cécile.

—Vous aimeriez une belle chambre, Cécile? Eh! bien je vais vous contenter. Je vous donnerai celle du roi.

—Du roi?

—Oui, celle où Victor-Emmanuel a couché un soir pendant un de ses séjours au beau pays de Savoie.

—Je vous en prie, fis-je, ne dérangez rien pour cette petite fille.

—Je ne dérange rien, je vous assure. Cette chambre est toute prête, j'attendais un parent de mon fils Rodolphe qui n'est pas venu. Il suffit d'y porter un petit lit. Venez, Cécile, venez avec moi, vous me direz si la chambre vous plaît.

Appuyée sur sa canne et donnant la main à ma petite-fille, mon amie nous entraîna de l'autre côté du château, et ouvrit une porte. La femme de chambre appelée poussa les persiennes des deux fenêtres et une lumière douce pénétra dans l'immense pièce.

Déjà de la chambre voisine on apportait un petit lit. Cécile voulut aider à l'installer. Nous la laissâmes avec la femme de chambre et revînmes au salon.

Les heures qui nous séparèrent du dîner furent bien em-
5 ployées à réveiller avec mon amie les vieux souvenirs du passé, mais surtout je sentis qu'elle avait besoin de s'épancher, de me raconter ses soucis.

Son fils Pierre lui causait beaucoup d'ennuis. Il venait de manger à Paris des sommes folles, et que lui réservait l'ave-
10 nir? Une seule chose la réjouissait, c'était de le voir s'intéresser au domaine; mais cela ne plaisait pas à Rodolphe et à propos de tout, des discussions jaillissaient entre les deux frères.

Les jeunes gens rentrèrent pour se mettre à table.
15 J'ai passé là à cette table un pénible moment, je l'avoue. Ma petite-fille qui avait dû s'exciter et se lasser à explorer son nouveau gîte, fut très sage et s'endormit avant le dessert. Le vieux visage ridé et épaissi de mon amie s'animait gaiement en regardant la jeunesse assise à sa table. Mais moi
20 j'observais et je pus tout à loisir voir ce que peut être le manège d'une coquette. Jamais encore je n'avais vu cela d'aussi près.

Je ne savais rien du passé de Mlle Lauranne, mais ce que je puis affirmer c'est qu'elle n'était pas une débutante dans
25 l'art de plaire. Pierre aurait été de taille à lui tenir tête, mais le pauvre Rodolphe me faisait pitié. Emballé comme un innocent, il laissait lire sur son visage simple toutes les impressions de son cœur.

Cette femme s'amusait de lui. Tantôt elle le flattait, le
30 regardait, l'écoutait avec le plus vif intérêt, et lorsque le pauvre garçon excité par ce regard se lançait dans un récit et cherchait à briller par son éloquence, elle cessait subitement de s'intéresser à lui, se détournait, riait d'un air mo-

queur, laissant le jeune homme avec son récit inachevé que personne n'écoutait plus.

Elle tourmentait alors son autre voisin; celui-ci piqué au jeu se défendait, ripostait, plus souple d'esprit que son frère et surtout moins novice dans l'art de tenir tête à une coquette. Cependant lui aussi elle le roulait, si je puis dire, habile à lui décocher des coups d'épingle comme le toréador pique le taureau qu'il veut attirer à lui. Mais Pierre savait dissimuler, tandis que Rodolphe souffrait visiblement à ce jeu qui mettait son cœur à vif.

Sans doute grisée par son succès, Berthe Lauranne trouvait-elle plaisant d'exciter les deux frères l'un contre l'autre, de les humilier l'un par l'autre.

Mon amie trop sourde pour suivre la conversation se contentait de sourire avec bienveillance.

Mais pour moi ce jeu était pénible. A mon âge, lorsque la vie a creusé son sillon par mille souffrances et déceptions, il n'est pas difficile de lire sur les visages des hommes. Sur ceux-là, je voyais s'amasser tour à tour la colère, l'amour, la jalousie, la haine, tandis qu'on ne cessait de rire à cette table luxueuse.

Il fallut emporter Cécile qui dormait profondément, le dîner s'étant prolongé. Bientôt j'entendis l'automobile de Mlle Lauranne revenir au château, puis emmener la jeune fille. Il faisait encore jour. Les deux fenêtres de ma chambre étaient restées ouvertes; j'ai gardé, sur les conseils de mon mari et dès les premières années de mon mariage, l'habitude de dormir ainsi à l'air.

Lorsque le silence fut retombé sur le château, j'essayai de m'endormir. J'allais y arriver, lorsque des pas se firent entendre sous les fenêtres de ma chambre. Ce pas allongé, rapide, je le reconnus bien vite, c'était celui de Rodolphe. Puis une voix dure le héla: "Attends-moi, j'ai à te parler."

Rodolphe s'arrêta; j'entendis que son frère le rejoignait et une discussion s'engagea entre eux à voix assourdie. J'en surpris quelques mots seulement, de la voix de Pierre moins contenue.

—Je suis aussi maître que toi ici, disait-il, je te défends de commander sans prendre mon avis.

Je ne saisissais pas bien ce que répondait Rodolphe, mais peu après une autre phrase de son frère parvint jusqu'à moi:

—Tu ne remarques même pas que Berthe Lauranne se moque de toi!

Tout à coup je devinai que les deux frères s'étaient jetés l'un sur l'autre et là presque sous mes fenêtres se lançaient des coups furieux.

Je tremblais dans mon lit, me demandant comment cette lutte d'hommes finirait. Bientôt je compris que l'un d'eux avait été jeté à terre, puis la voix de Rodolphe s'éleva nette dans le silence de la soirée:

—Là, tu te souviendras de cette correction.

Et il s'enfuit. La voix furieuse de Pierre lança des injures, puis comme se parlant à lui-même je l'entendis qui murmurait:

—Je le retrouverai!

Je devinai qu'il se relevait et rentrait au château.

Longtemps je restai éveillée, impressionnée par cette scène. Je plaignais mon amie et m'estimais heureuse de n'avoir pas à porter sur les épaules le lourd fardeau de ses soucis. Hélas! je ne prévoyais guère que moi aussi, moi surtout, j'allais plier sous le faix des événements qui se préparaient.

Le lendemain, je voulus rentrer de bonne heure chez moi et ne revis pas Rodolphe déjà parti au travail dans le domaine.

Pendant que nous déjeunions ensemble, mon amie faisant

allusion à Berthe Lauranne et à son automobile, me dit en souriant :

—Ne croyez-vous pas que voilà mes deux fils attelés au *char de l'amour?*   Puisque cette jeune fille désire vivre dans ce pays, je lui céderai volontiers le château et le domaine ₅ avec celui de mes fils qui lui plaira.   Voilà peut-être une circonstance qui m'ôtera l'ennui de faire un choix moi-même. Qu'en dites-vous ?

Elle souriait de toutes les rides de son bon visage épanoui et insouciant. ₁₀

—Pour lequel des deux pariez-vous ? ajouta-t-elle.

—Pour Rodolphe, répondis-je avec vivacité, bien qu'au fond du cœur je pensais que Pierre avait beaucoup plus de chances.

—Dans ce cas que ferai-je de Pierre ? grand Dieu ! ₁₅

Lorsque, quelques instants plus tard, nous montions en voiture pour rentrer chez nous, Pierre reparut souriant.   Il apportait à Cécile un petit panier de cerises et le bouquet de bruyères blanches qu'il lui remit d'un air mystérieux.

—Gardez bien ces fleurs ! si les fées pouvaient les reprendre, ₂₀ elles n'y manqueraient pas.

Cécile secoua sa petite tête gravement et voulut les cacher sous son manteau comme si elle redoutait les fées.   Le croyait-elle réellement ?   On ne sait jamais très bien ce qu'il y a au fond d'une imagination d'enfant. ₂₅

Nous partîmes, et sur la route je ruminais les réflexions que me suggéraient les événements de la veille.   Cette jeune fille parlait-elle sérieusement lorsqu'elle exprimait le désir de vivre toute l'année à la campagne ?   Et dans ce cas lequel des deux frères choisirait-elle ?   Car j'avais bien compris ₃₀ dans la petite comédie qu'elle jouait instinctivement le désir de plaire à l'un ou à l'autre.

Malgré le peu de sympathie que j'éprouvais pour elle, tous

mes vœux étaient pour que son choix se fixât sur Rodolphe, puisqu'il semblait l'aimer. Malgré son caractère taciturne, je le savais bon, tendre même. Et je me figurais son désespoir s'il lui fallait un jour quitter le beau domaine de Ploye et céder à son frère la femme à qui son cœur semblait se donner.

Le souvenir du sourire épanoui de mon amie me causait de l'impatience. Comment pouvait-elle demeurer insouciante devant le problème qui se posait sur l'avenir de ses fils, et devant leur visible antagonisme? Ne soupçonnait-elle donc rien de ce qui se passait autour d'elle?

III

Un après-midi, la chaleur avait été particulièrement étouf-
fante; le ciel s'était assombri, de gros nuages couvraient
l'horizon et dans le lointain le tonnerre grondait sourdement.
Je fis rentrer Cécile qui jouait sous les arbres, et pour l'occuper je me mis à lui lire une histoire de Mme de Ségur. 5
Tout à coup un violent coup de tonnerre retentit. J'allai
fermer les fenêtres quand le pas de chevaux au trot se fit
entendre.

Cécile dressa l'oreille:

—Voilà peut-être mes amis de Ploye, dit-elle avec ravisse- 10
ment.

Justement c'était Rodolphe accompagnant Berthe Lauranne. Les jeunes gens mirent pied à terre, confièrent leurs
chevaux au fermier et montèrent me demander l'hospitalité
pendant l'orage. 15

Je les fis entrer dans ma chambre, c'est là que je reçois toujours, mon salon reste clos maintenant. Je remarquai
l'élégante tournure de Mlle Lauranne dans son amazone
noire. Sur le col montant la figure fine se détachait, moqueuse et souriante. Rodolphe avait fait des frais de toilette 20
et me parut aussi presque élégant. Comment Pierre
n'était-il pas avec eux? Renonçait-il à conquérir cette jeune
fille et sa dot?

Tandis que Rosine, Marie et ma petite-fille se hâtaient de
préparer un goûter, je voulus faire asseoir les jeunes gens, 25
mais Berthe Lauranne s'était déjà précipitée devant ma
tapisserie et les héros de Walter Scott retenaient toute son
attention.

—Que c'est joli! disait-elle à Rodolphe. Regardez ces beaux costumes de femmes. Mon amazone ne ferait pas grand effet auprès de ceux-ci dans le paysage. Personne n'aura l'idée dans cinquante ans de me représenter avec ma robe noire.

—Cela dépend! fit Rodolphe. Vous seriez très bien dans le bois au bord de l'étang noir, cela ferait un charmant décor pour le salon de vos arrière-petits-enfants.

Ma petite-fille se rapprocha:

—Vous avez vu l'Etang Noir? demanda-t-elle à Mlle Lauranne.

—Bien sûr, fit celle-ci, c'est l'endroit favori de Rodolphe. Il va y rêver aux étoiles.

—A une étoile, corrigea le jeune homme en souriant.

—Oh! j'aimerais tant y aller, reprit Cécile.

—N'y allez jamais seule, répondit Berthe Lauranne d'un air effrayé. C'est un vilain endroit. L'étang est traître, il est très profond. Un soir d'hiver, une petite bergère s'est aventurée sur lui avec ses moutons, le croyant bien gelé. La glace a craqué et l'étang a englouti la bergère et ses moutons. On ne les a jamais revus.

Elle s'amusait de la frayeur de la petite et souligna ces derniers mots par un geste brusque de ses deux bras écartés.

—Jamais! répéta Cécile qui l'écoutait passionnément.

—Jamais!

Un coup de tonnerre formidable ébranla les vitres. Cécile terrifiée se réfugia sur mes genoux.

Berthe Lauranne, indifférente à l'orage, riait gaiement, moqueuse à son habitude. Je remarquai l'expression radieuse du visage de Rodolphe. Il était transformé depuis ma dernière visite au château. Pour la première fois depuis que je le connaissais, je le trouvai beau: ses traits semblaient moins durs, son teint plus clair, ses yeux plus vifs.

Son visage mâle rayonnait d'un éclat nouveau. J'en connaissais trop bien toutes les expressions changeantes pour ne pas deviner que son amour était encouragé et pouvait se donner libre cours.

J'en eus la preuve un instant plus tard.

J'étais allée voir si mes trois petites femmes se débrouillaient à la cuisine et nous servaient bientôt le goûter préparé. J'avais laissé en partant la porte de la salle à manger entr'ouvert. Lorsque je revins, Rodolphe était agenouillé près du fauteuil de Mlle Lauranne et tenait sa main dans les siennes. Ils ne m'avaient pas entendue. Je me retirai sans bruit, mais j'avais eu le temps de voir l'expression rayonnante du visage de Rodolphe.

Faut-il ajouter que j'éprouvai à cette vue un sentiment mélangé, fait de joie pour mon jeune ami que j'aimais réellement et dont le cœur ne s'était pas donné avant ce jour, j'en étais sûre, l'ayant suivi dans toute sa jeunesse, et de regret en voyant ce cœur s'éprendre d'une jeune fille indigne d'un tel amour, j'en avais l'intuition certaine. Il n'y avait pas de cœur dans le regard hardi et moqueur dont elle enveloppait le jeune homme agenouillé à ses pieds.

Pendant ce temps, l'orage éclatait, formidable; une pluie torrentielle inondait les tilleuls avec un bruit de cascade. Je fermai toutes mes fenêtres et j'allumai mon cierge bénit.

Cécile très fière fit les honneurs du thé et des tartines avec un sérieux qui lui fit oublier sa terreur du tonnerre. Je l'entendis qui disait à Mlle Lauranne:

—C'est toi maintenant, la fée de Ploye!

—Vous aussi, fit Rodolphe en prenant la petite sur ses genoux. Plus il y a de fées, plus on est heureux.

A ce moment, on frappa à la porte et Pierre de Veyres entra, tout ruisselant d'eau, trempé par l'orage. Ses cheveux et sa moustache collés lui faisaient un étrange visage et ne l'embellissaient pas. Nous n'avions pas entendu le pas de son cheval. Il me salua avec politesse, mais je vis dans ses yeux qu'il contenait une colère violente.

—Pourquoi ne m'avez-vous pas attendu pour sortir? demanda-t-il à son frère d'un ton sec.

Berthe Lauranne ne laissa pas à Rodolphe le temps de répondre.

—Parce que vous n'êtes jamais prêt en même temps que nous, dit-elle avec sa grâce féline. Il faut toujours perdre une demi-heure à vous attendre. Aujourd'hui nous avons dit: tant pis, filons, cela le rendra moins paresseux.

Tout en parlant la jeune fille tendait la main à Pierre, et se levait pour lui servir le thé.

—Et ne vous mettez pas en colère, ajouta-t-elle, votre moustache toute mouillée tombe lamentablement et n'a rien de belliqueux. Regardez-vous.

Suivant son regard moqueur, Pierre se jeta un coup d'œil dans la glace, vit ses yeux furieux et ses cheveux collés, puis son regard se posa sur son frère avec une expression de haine qui me frappa.

—Où étais-tu quand l'orage a éclaté? demanda celui-ci.

—Je sortais du village, j'avais à peine vingt minutes de retard sur vous.

—Il fallait te mettre à l'abri au lieu de nous suivre. Cette course sous des torrents d'eau était bien inutile. Pourquoi risquer de prendre froid?

—Ne te préoccupe pas de moi, dit Pierre d'un ton si dur que ma petite-fille en tressaillit.

L'orage grondait plus violemment dans ma chambre que sous le ciel noir. J'avais l'impression très nette que si les deux frères eussent été seuls, Pierre se serait jeté sur Rodolphe et qu'une lutte se serait engagée entre eux comme l'autre soir sous ma fenêtre. Devant l'air méprisant de Rodolphe, Pierre se crispait.

Mlle Lauranne intervint encore avec tact. La colère de
Pierre l'inquiétait.

—Tenez, Pierre, voici de délicieuses tartines faites par
Cécile et les confitures de sa grand'mère sont encore meil-
leures que celles de Ploye, et ce n'est pas peu dire! 5
Reposons-nous un instant, puisque nous avons trouvé une
si aimable hospitalité. Après l'orage, ce sera charmant de
rentrer au trot, les prairies embaumeront et le ciel sera tout
bleu, j'en suis sûre.

Pierre s'assit, dompté. Mais il ne voulut rien accepter, 10
l'effort qu'il faisait pour contenir sa colère le serrait à la
gorge. Sa figure contractée avait perdu tout son charme.
Qui l'aurait vu en ce moment n'aurait pu croire qu'on
l'appelait *le beau de Veyres.*

Peu à peu cependant son visage se détendit, Berthe 15
Lauranne le cajolait, le flattait, le forçant à parler. Mais
s'il prit part à la conversation générale, je remarquai que pas
une fois il n'adressa la parole à son frère et dans ses yeux
d'un bleu d'acier je lisais une profonde rancune.

Une heure plus tard les trois jeunes gens quittaient ma 20
maison solitaire. Pendant que Pierre reprenait à la cuisine
le caoutchouc qu'il y avait déposé en entrant, Mlle Lauranne
montra à Rodolphe le paysage d'Ecosse représenté sur la
tapisserie de ma chambre. Le bout de sa cravache se posa
sur l'une des belles amazones au grand chapeau à plumes 25
blanches.

—Allons demain à l'Etang noir, dit-elle. Nous verrons
l'effet de ma robe noire et de son reflet dans l'eau.

—Demain à l'Etang Noir, répéta Rodolphe avec ravissement. 30

Lorsqu'ils partirent, Mlle Lauranne avait bien pronosti-
qué: la pluie avait cessé, laissant les ornières pleines d'eau,
mais dans le ciel, par de larges trouées bleues, le soleil envoyait déjà de chauds rayons qui, avant de sécher la terre,

s'amusaient à allumer des étincelles dans toutes les flaques.

Quand nous nous retrouvâmes seules, Cécile me dit gravement:

—Tu as vu, grand'mère, comme Pierre était en colère.

—C'est l'orage, répondis-je.

—Oui, et elle ajouta drôlement: Pour la vieille Marie, c'est comme s'il y avait toujours de l'orage!

Je les revis encore tous trois peu de jours après. Ma petite-fille m'avait entraînée au delà du bois de châtaigniers, à travers un champ tout fleuri de marguerites. Elle avait cueilli un bouquet plus gros qu'elle et je ne parvenais pas à la faire rentrer. Toujours une fleur nouvelle l'attirait.

—Plus que celle-là, grand'mère.

Et d'une fleur à l'autre nous allions toujours plus loin.

Tout à coup la petite dressa l'oreille.

—On entend des chevaux.

En effet il me sembla entendre aussi le trot de plusieurs cavaliers et bientôt nos jeunes amis de Ploye escortant Berthe Lauranne parurent à l'entrée du bois.

Cécile agita son bouquet.

—Bonjour, bonjour! cria-t-elle à tue-tête.

Ils ne nous virent pas tout d'abord dans l'herbe haute, mais les cris de Cécile finirent par attirer leur attention.

—Allons vers eux, dit Cécile.

Elle courait déjà devant moi, dans le sentier où s'engageaient les cavaliers. Je l'appelais en vain, j'avais peur pour elle des chevaux. Mais les jeunes gens mirent pied à terre en la voyant et marchèrent à sa rencontre.

Quand je pus les rejoindre, Pierre avait déjà mis ma petite-fille sur son cheval et elle riait de tout son cœur, oubliant son beau bouquet qui traînait à terre sous les pieds des chevaux.

—Devinez, Madame, ce que nous cherchons? me dit Mlle

Lauranne en s'avançant gracieusement pour me saluer.

—Oh! vous ne devineriez jamais. Voilà. Rodolphe de Balmes prétend que la *rookery* doit être près d'ici cette année, et nous cherchons à surprendre les corbeaux.

Devant mon regard interrogateur, Rodolphe s'expliqua:

—Oui, Madame, vous avez dû remarquer qu'il y a beaucoup de corbeaux dans ce pays. J'ai observé qu'ils ont des lieux de réunion qui varient chaque année. L'an passé ils se donnaient rendez-vous à l'Etang-Noir, il en venait des centaines; cette année il n'y en a pas un. J'ai cru voir à plusieurs reprises leurs groupes se diriger de ce côté et je cherche la *rookery*.

—Et nous emmenons Cécile avec nous, ajouta Pierre. Les petites fées doivent être amies avec les oiseaux et comprendre leur language.

—Oh! grand'mère, laissez-moi aller avec eux, cria Cécile extasiée.

J'hésitais, lorsque Mlle Lauranne nous fit signe de nous taire.

—Voilà les corbeaux, dit-elle, attention!

—Nos chevaux vont les effrayer, ajouta Rodolphe.

—Allons les attacher aux arbres du bois, dit Pierre. Voilà un petit berger qui nous aidera.

Le fils du fermier arrivait justement; il se chargea de veiller sur les chevaux et, lentement, sans bruit, nous suivîmes la direction indiquée par Rodolphe et Mlle Lauranne qui guettaient les oiseaux.

Bientôt nous arrivions à une lande inculte et sauvage, entourée de bois-taillis et barrée par un ruisselet. Là Rodolphe nous fit signe de nous reculer jusque vers les arbres au milieu desquels notre petit groupe se dissimula.

Peu à peu en effet, les corbeaux arrivaient par bandes; ils se posaient au bord du ruisseau et semblaient s'attendre les uns les autres. Les jeunes gens les comptaient à mesure.

—Quatre-vingts, disait l'un.

—Voilà une bande de douze.

—Encore six autres!

Ils furent bientôt deux ou trois cents, en ligne, au bord du ruisselet, presque immobiles, croassant un peu, mais pas aussi bruyamment qu'on eût pu l'attendre d'un aussi grand nombre d'oiseaux.

—Que font-ils? demanda Berthe Lauranne à Rodolphe.

—Ah! je n'en sais rien, dit le jeune homme en riant. Je suppose qu'ils tiennent leur Parlement.

—Ils font moins de bruit que nos députés!

—Et ils sont rapides dans leurs discours. On dirait que l'assemblée est déjà close!

En effet les corbeaux s'agitaient, le groupe se disloquait, des bandes montaient sur les arbres voisins, la plupart s'envolèrent; il n'en resta bientôt que cinq ou six attardés sur la lande.

—C'est le Conseil des Ministres, dit Pierre en riant.

Bientôt ces derniers s'envolèrent aussi.

—Reviendront-ils? demanda Cécile avec intérêt.

—Sûrement, répondit Rodolphe, vous les verrez tout l'été se réunir là certains soirs. Ils adoptent un champ et s'y donnent rendez-vous pour une saison. L'année prochaine ils iront ailleurs.

—Comme ce monde des animaux nous est fermé! dit Mlle Lauranne. Evidemment ces corbeaux ne sont pas venus sans raison. Ces réunions ont un but. C'est mystérieux.

—La nature est pleine de mystères, murmura Rodolphe.

—Quel ton pédant! dit son frère, et il répéta narquoisement: la nature est pleine de mystères!

La jeune fille eut un rire moqueur et prolongé.

Rodolphe fronça les sourcils et ne répondit pas. Nous

marchâmes un instant en silence. Pierre s'était détaché de
notre groupe, mais je n'y avais pas prêté d'attention. Tout
à coup il poussa une exclamation de joie et nous le vîmes se
précipiter sur un buisson-nain et ramasser quelque chose.

—Tenez, Cécile, cria-t-il, je vous apporte un corbeau. Je
crois qu'il a une patte cassée. Vous le soignerez.

Il nous rejoignit et tendit à la fillette un gros oiseau affreux. Celle-ci s'écarta avec effroi.

—Non, non, je n'en veux pas, criait-elle en marchant à
reculons.

—Pourquoi? c'est gentil, un corbeau, vous lui ferez un
petit lit à côté de vos poupées et vous lui donnerez à manger. Il est malheureux, il faut en avoir pitié, tous ses amis
sont partis. Caressez-le au moins.

Cécile fit un effort et posa sa petite main sur la tête noire
de l'oiseau.

—Je vais vous apprendre à lui donner à manger, continua
Pierre.

Et tout en maintenant à terre le corbeau avec sa main
gauche, de la droite il fit un petit pâté de terre qu'il posa
dans une feuille.

—Attention, Cécile, dit-il.

Et il se mit à croasser.

—Couac, couac!

Immédiatement l'oiseau ouvrit le bec.

—Couac, couac, répondit-il.

Cécile éclata de rire. Mais instantanément sa figure se
bouleversa. Au moment où l'oiseau ouvrait le bec pour
croasser, Pierre lui avait enfoncé dans la gueule son pâté de
terre.

—Vous allez l'étouffer, dis-je avec indignation.

—Bah! les corbeaux ont la vie dure.

Et il recommença les couacs auxquels le malheureux oiseau

répondait, et à chaque cri de détresse, Pierre enfonçait de la terre dans le bec crochu.

Rodolphe et Mlle Lauranne s'étaient éloignés en causant et n'avaient pas vu cette scène.

—Laissez-le, disait Cécile d'une voix aiguë, vous êtes méchant.

Mais Pierre s'amusait à ce jeu cruel. La bête ne faisait plus entendre que de faibles cris. J'entraînais Cécile, ne pouvant pas non plus supporter le spectacle de cette agonie. La petite me dit:

—Je ne veux plus aller sur le cheval de Pierre; je ne l'aime plus.

La cruauté l'avait révoltée. Pour moi qui le savais méchant et sans cœur, l'ayant connu tout petit, je n'avais éprouvé aucune surprise.

Rodolphe et Berthe Lauranne avaient détaché les chevaux et se remettaient en selle; Pierre les rejoignit en secouant la terre qui souillait ses vêtements. Ils s'éloignèrent bientôt tous trois et nous les vîmes quitter le sentier pour traverser le bois des châtaigniers.

Avant d'entrer dans l'ombre des grands arbres, Cécile et moi qui les regardions s'éloigner, vîmes Rodolphe se retourner pour nous faire un salut amical. Dans l'affectueuse poignée de main qu'il m'avait donnée en partant, j'avais senti qu'il mettait un peu de la joie qui dilatait son cœur. J'avais vu dans ses yeux le bonheur qui resplendissait.

Et tandis que je le suivais des yeux, rien, rien, pas le moindre pressentiment ne m'apprit que jamais je ne reverrais ce grand jeune homme qui s'en allait, le cœur rempli d'amour, sur le chemin inondé de soleil.

IV

Je crois que maintenant vous connaissez tous les personnages du drame; je puis en arriver à l'affreux récit de cette journée du 20 juin 1913. Ce jour-là commença le calvaire que nous n'avons cessé de gravir, ma pauvre amie et moi. Cette date me hante! Oh! que ne puis-je l'arracher de ma vie!

Si ma main tremble et si mes yeux se voilent en ouvrant cette page, ce n'est pas qu'il me soit difficile de l'écrire. Au contraire elle est présente à mon esprit avec une singulière précision. J'en revois nettement tous les incidents comme, après un orage, on distingue mieux tous les détails de l'horizon.

Ce jour-là, le temps était très chaud; partout les gens se hâtaient de faucher le foin mûr et tous les hommes travaillaient aux champs. Le hameau n'avait plus un seul habitant, sauf Ajax et notre groupe de quatre femmes. Et ce n'était pas aux alentours que fauchaient les paysans, les alentours sont tous ensemencés de blé et d'orge et c'est plus haut, sur les collines, que les champs de foin s'étalent au soleil. Les femmes avaient porté le repas des faucheurs et restaient avec eux pour les aider.

Vers deux heures, Cécile vint vers moi.

—Grand'mère, veux-tu me conduire à l'Etang Noir?

Je me mis à rire.

—C'est trop loin pour moi, ma chérie, et aussi pour tes petites jambes.

—Mais non, on s'asseoira sur l'herbe pour se reposer.

35

Rosine dit qu'il est très grand et profond et qu'il y a de beaux nénuphars qui seront fanés bientôt.   On vous y conduisait bien quand vous étiez petite!

Je ne connais pas le moyen de résister à la prière de ces
5 yeux bleus et aux caresses de cette petite fille qui a toute la tendresse de mon cœur.   Le désir n'était d'ailleurs pas déraisonnable; il faut une heure et demie pour atteindre l'Etang Noir et les après-midi sont longues au mois de juin.

J'allai mettre mon chapeau et préparer dans un sac le
10 goûter de Cécile et un léger manteau de laine.   J'y joignis pour moi une revue et la petite voulut se charger d'un panier pour rapporter des fleurs.

— . . . Mais pas des nénuphars, fis-je avec autorité.   Ils sont difficiles à cueillir et je mets à notre promenade la con-
15 dition formelle que tu ne m'en demanderas pas là-bas.

—Même si Rosine vient avec nous?

—Rosine ne viendra pas, elle doit laver du linge.   C'est promis, Cécile?

Elle inclina gravement son petit menton volontaire et nous
20 partîmes.

Sur la route brûlante nous marchions vite, pressées d'arriver sous bois.   Il n'y avait pas un souffle dans l'air et la campagne était silencieuse comme si elle eût été déserte.

Selon son habitude Cécile se racontait à elle-même une
25 histoire qui devait être passionnante, à en juger par ses gestes et par les mots qu'elle lançait en marchant.   Je devinais que les souvenirs du *Livre de la Jungle* la hantaient.   Avec une petite baguette qu'elle tenait à la main, elle daignait parfois me désigner à l'horizon quelque bête sauvage que
30 nous aurions à combattre.

J'ai dit qu'il faisait très chaud et que je ne suis plus jeune. Quand nous quittâmes la route, au bout d'une demi-heure pour prendre sous bois le chemin qui mène à l'Etang Noir, j'étais déjà bien lasse.   Mais Cécile était si contente d'approcher du but que je ne voulus pas me plaindre. D'ailleurs dans l'ombre douce, le chemin était charmant sous les arbres.

A l'entrée du bois je m'arrêtai cependant et j'appelai Cécile qui s'élançait déjà en avant.

—Ne t'éloigne pas de moi, petite.

Elle revint en courant, je remarquai que sa petite figure était rouge et brûlante.

—Comme tu as chaud! dis-je; ne cours plus, donne-moi la main.

—Oh! non, grand'mère, fit-elle avec indignation, pas la main, je suis grande.

Je souris.

—Le bois est-il joli, Cécile?

De nouveau elle me jeta un regard indigné.

—Ce n'est pas un bois, grand'mère, c'est une forêt immense! Je vous avais bien dit qu'il y avait des lions et des tigres.

Elle sautait, sautait, toute excitée par la joie.

—Oui, des lions et des ours, répéta-t-elle, montrant les sous-bois avec une telle ardeur qu'on aurait juré qu'elle les voyait réellement.

Je tâchai de la calmer.

—Ne t'excite pas, Cécile, et ne fais pas tant de sauts, autrement tu n'auras pas la force de rentrer.

Tout à coup la petite me fit signe de m'arrêter. Silencieusement, elle me montra quelque chose.

—Qu'y a-t-il, Cécile?

—*Le* voilà, grand'mère!

Je devinai que *lui* c'était l'étang. Ses yeux fureteurs avaient déjà aperçu à travers les arbres, le miroitement de l'eau. Elle se remit à marcher en dansant. Bientôt je vis à mon tour les étincelles que le soleil faisait jaillir de l'étang. D'ailleurs le bois s'éclaircissait, et le sol qui conduisait au bord de l'eau n'était bientôt plus recouvert que d'arbustes et de fleurs, et la nappe d'argent apparut à nos yeux.

L'étang reposait au fond d'un entonnoir de verdure; il était lumineux, mi-verdâtre, là où se reflétait le sol, mi-bleuâtre là où se reflétait le ciel. (D'une extraordinaire limpidité on y voyait les nuages aussi nettement que s'ils eussent été au fond de l'eau.) Les bords, entourés de roseaux de ce côté-là, se tapissaient de nénuphars blancs qui reposaient mollement sur leurs larges feuilles.

Cécile s'était arrêtée et contemplait silencieusement le paysage.

—Il est beau, n'est-ce pas, Cécile?

—Oui, grand'mère, mais ce n'est pas l'étang noir, c'est l'étang bleu.

—En hiver il est sombre.

Je voulus m'asseoir, la petite m'arrêta.

—Mais si, Cécile, nous allons nous reposer là un instant, tu goûteras et nous rentrerons.

—Mais grand'mère, il faut longer l'étang. Je vois une petite barque près des nénuphars. Vous vous assiérez de l'autre côté sous les arbres. Vous serez mieux à l'ombre, ici il y a trop de soleil.

Elle avait raison, la gamine. Je pris sa main.

—Je veux bien longer l'étang, mais tu ne me quitteras pas.

Elle comprit à mon ton qu'il ne fallait pas essayer de ré-sister, et sagement nous descendîmes jusqu'au bord de l'eau. Le sentier nous conduisit à travers une forêt de roseaux, ce qui enchanta la petite, puis tout près des nénuphars et d'une vieille barque appuyée à un poteau.

—Regarde, grand'mère, comme les nénuphars ont de longues tiges.

Je me penchai avec elle; là, l'ombre de la barque nous per-mit d'apercevoir à travers l'eau profonde, limpide et noire, les longues tiges verdâtres.

—Comme c'est profond grand'mère! Oui c'est bien l'étang noir!

C'était vrai, les sapins formaient un fond de tableau un peu sinistre. Nous regardions en silence quand la petite voix reprit:

—Elle a dû crier bien fort!

—Qui?

—La bergère.

—Quelle bergère?

—Celle qui s'est noyée là avec ses moutons.

Elle montrait un endroit de l'étang et parlait avec une assurance qui m'aurait fait sourire en d'autres temps. Mais dans cette solitude, je ne sais pourquoi j'eus le cœur serré. Cette histoire que Mlle Lauranne avait raconté à Cécile, bien que très ancienne, était véridique.

J'entraînai la petite sur le sentier qui remontait maintenant de l'autre côté de la cuvette; bientôt nous atteignîmes le sommet de l'entonnoir. Cécile se retourna:

—Il est moins joli que de l'autre côté!

C'était vrai; par un effet de lumière, l'eau s'assombrissait dans la verdure qui encerclait l'étang.

A une petite distance du sommet de la montée, j'allai m'asseoir à l'ombre de quelques arbres, et je tendis à Cécile son goûter que je tirai de mon sac. Elle refusa.

—Tout à l'heure, grand'mère, quand j'aurai rempli mon panier de fleurs. Il y a des clochettes très jolies.

—Tu ne t'éloigneras pas?

—Non.

J'ouvris la revue que j'avais apportée, mais j'étais lasse de la longue promenade au soleil et je me laissai aller au fil de mes pensées. Du coin de l'œil je surveillais Cécile qui, après avoir jeté son chapeau et cueilli des fleurs à poignées, les arrangeait maintenant dans son panier.

Elle était couchée par terre, un peu sur ma droite, au som-

met de l'entonnoir qui domine l'étang. Elle le voyait tout
entier de ce petit promontoire, mais ainsi, couchée à plat
ventre, sur le sol, sans chapeau, elle devait se confondre avec
les plantes.

5 Moi, à trente pas de distance, je ne pouvais voir l'étang.
Le silence était profond dans ce coin reculé de la campagne; pas le moindre clapotis de l'eau, pas un chant d'oiseau
ni de murmure de feuilles secouées par la brise. Très
lasse, je pensais à la peine que j'aurais tout à l'heure à me
10 remettre en marche, mais la chaleur aurait diminué sans
doute.

Je crois que je m'endormis quelques instants. Dans cet
état de somnolence je crus entendre un bruit, comment le
qualifier? au moment même, je suis sûre que l'idée ne m'est
15 pas venue que ce pouvait être un cri ou un appel au secours.
Néanmoins, je secouai ma torpeur et je regardai du côté de
ma petite-fille. Elle était toujours là, à plat ventre sur le
sol. Je remarquai qu'elle ne faisait pas un mouvement.

—Cécile? appelai-je doucement, que fais-tu?

20 Pas de réponse. Je souris. Qu'avait-elle découvert d'intéressant? Un insecte sans doute.

Quelques minutes passèrent. Puis tout à coup, sans un cri,
mais avec la rapidité d'un torrent qui se précipite, ma petite-
fille arriva en courant, se jeta sur moi, me renversant presque.
25 Je vis qu'elle était blanche comme un lis, que ses yeux
grands ouverts étaient fixes, et que sa bouche crispée s'ouvrait sans qu'un son pût en sortir. Terrifiée, je la pris dans
mes bras.

—Qu'as-tu, Cécile, ma chérie, qu'as-tu?

30 L'idée d'une vipère, d'un danger quelconque traversa
mon esprit affolé. La petite s'agrippait à moi, ses mains
nerveuses me faisaient mal, mais plus que tout, l'expression
de son visage m'épouvantait.

—Mais qu'as-tu, Cécile, ma petite?

Elle essaya de parler et ne put articuler un son.   Sa main se tendit alors du côté de l'étang.

—Qu'as-tu vu, ma chérie?   Qu'y a-t-il là-bas?

De nouveau elle essaya de parler, et cette fois je distinguai dans un souffle:

—Vite, vite, allons là.

D'un violent effort je me levai malgré son étreinte qui paralysait mes mouvements.   Que s'était-il passé là-bas? Qu'avait donc vu cette enfant pour que ses nerfs fussent à ce point ébranlés?   Je la mis sur ses jambes, elle tremblait toute, mais cette fois elle put parler plus distinctement par phrases hachées:

—. . . Le grand Rodolphe était monté sur la barque . . . Pierre est venu doucement par derrière . . . Il l'a poussé dans l'eau . . . Je l'ai vu . . . Et lui, dans l'eau . . . a essayé de remonter . . . ses mains étaient déjà sur la barque . . . Pierre a pris la rame . . . a tapé sur les mains . . . qui ont lâché la barque . . . Rodolphe a crié un peu . . . puis on n'a plus rien vu . . .

Dans des hoquets de sanglots les mots sortaient avec une peine incroyable.   Bouleversée, je cherchai autour de moi si je pouvais trouver quelque secours.

—Viens, disait la petite en haletant . . . allons le chercher dans l'eau . . . il va mourir.

Je fis quelques pas avec elle jusqu'à l'endroit où elle était quelques instants auparavant.

Tout à coup, elle se rejeta contre moi.

—Là, là, il se sauve, Pierre . . . Tu vois . . .

Oh! mes pauvres yeux vieillis!   Jamais je n'ai autant désiré leur lumière d'autrefois!   Je regardai la direction indiquée, et sans doute je vis quelque chose à travers les arbres, mais quoi? c'était si indistinct que je fis un geste impuissant.

Cécile m'entraînait toujours.   Allais-je descendre jusqu'à l'étang? et là que ferais-je?   On ne voyait plus rien.

—Vois-tu si l'eau bouge encore?

—Oui . . . oui . . . la barque bouge . . . non, non . . .
presque plus . . . il . . . il . . . est au fond . . .

Et cette fois elle éclata en sanglots.   C'était moins affreux
5 que ses halètements de tout à l'heure.   Elle pleurait et moi
je pleurais aussi.   Mais que pouvais-je faire?   Je songeai
à monter dans la barque, à tendre la rame au malheureux
qui la cherchait peut-être encore, mais lorsque je fus tout
près, je vis la barque flottant au milieu des roseaux à une
10 distance déjà impossible à franchir.

—Allons chercher du secours, dis-je.

Et avec un grand effort, je remontai, traînant la pauvre
petite qui continuait à sangloter.   A travers bois je marchai
aussi vite que je le pouvais; à la route je m'arrêtai, exténuée.

15 —Regarde, Cécile, essuie tes yeux qui voient mieux que
les miens, vois-tu du monde? quelqu'un qu'on pourrait appeler?

Elle secoua la tête.

—Il n'y a personne, personne.

20 —Eh bien! allons jusqu'aux vieux Moulins, vite, vite.

—Vite, vite, répétait Cécile en se cramponnant à moi,
gênant ma marche.

Enfin nous atteignîmes les Moulins délabrés autour desquels se groupent cinq ou six maisons.   Hélas! je fis le tour
25 de chacune et il fallut me rendre à l'évidence; dans ce
hameau comme au nôtre on travaillait à la fenaison et il n'y
avait personne.   Enfin, un homme surgit de derrière un mur
à demi effondré, je me hâtai vers lui et reconnus avec tristesse que c'était François Derille, un simple d'esprit.

30 Je tendis quand même mon espoir vers lui.

—François, dis-je avec tout le calme possible, tout le
monde travaille aux champs, n'est-ce pas?   Où sont-ils?

—Aux Granges, fit-il brièvement.

—Va vers eux tout de suite, et aussi vite que tu pourras

marcher. Tu leur diras que je les demande, que j'ai besoin d'eux; il est arrivé un malheur vers l'étang; je te paierai ta course cher si tu te dépêches.

Il rumina un instant mes paroles, puis sans répondre autrement que par un clignement d'œil, il partit dans la direction du plateau où travaillaient les faucheurs.

Maintenant nous n'avions plus qu'à attendre. La réaction se produisit, ma petite-fille refusa de faire un pas de plus, ses petites jambes ne voulaient plus la porter et elle se serait laissé tomber au bord du chemin si je ne l'avais soutenue. Je l'installai contre une haie qui l'abritait du soleil. A peine à terre elle s'endormit. Je m'assis près d'elle, harassée.

Et ainsi j'attendis deux mortelles heures, passant par toutes les phases d'une indicible angoisse. Tantôt je me reprochais de n'avoir pas mieux cherché à rapprocher la barque, pour me porter au secours du malheureux, tantôt il me prenait une envie folle de retourner à l'étang, de l'appeler, de lui jeter mon châle ou une gaule, m'imaginant qu'un faible secours l'aurait peut-être sauvé. Je priais le ciel d'inspirer aux paysans de se hâter. Je ne pensais alors, ni à Pierre de Veyres s'enfuyant après son horrible crime, ni aux conséquences de ce crime; l'idée seule du malheureux Rodolphe cramponné à la barque au milieu des nénuphars obsédait mon esprit.

A côté de moi, Cécile s'agitait dans son sommeil. Je remarquai seulement alors que j'avais oublié au bord de l'étang son petit manteau de laine. Elle frissonna, une nouvelle crainte m'assaillit: pourvu qu'elle n'ait pas pris froid! Je la pris dans mes bras pour la réchauffer, elle se réveilla en poussant un cri. Je crus à un cauchemar et voulus la mettre sur ses jambes pour la réveiller tout à fait, mais elle se cramponna à moi.

—Les ours sont dans le bois, cria-t-elle, les voilà, les voilà, sauvons-nous!

Je regardai autour de moi, la solitude n'était que trop complète.　Quelle hallucination avait donc cette petite?

Elle se blottissait dans mes bras, en criant:

—Cachons-nous, cachons-nous.

5　Je la serrai contre mon cœur qui battait à se rompre.　Elle avait le délire.　Le passage trop brusque de la route brûlante aux bords humides de l'étang, avait sans doute provoqué chez l'enfant ce que les gens du pays appellent la *fièvre des foins*.

10　Enfin j'aperçus quelqu'un, c'était François, il revenait seul, marchant vite; il vint à moi et me dit de sa voix de goitreux:

—Ils n'ont pas voulu venir, ils disent que ce n'est pas vrai.

J'aurais dû prévoir cela, on ne croit pas à ce que disent 15 les idiots.　Tout mon espoir s'effondra.　Je calculai que le crime était commis depuis près de trois heures et qu'il n'y avait plus aucune chance de sauver Rodolphe de Balmes.

—Merci, François, dis-je en lui mettant une pièce blanche dans la main.

20　Cécile se mit à pleurer.　Je la rassurai, je lui dis que tout était arrangé, que Rodolphe dormait et qu'il ne fallait plus s'inquiéter de lui.　Elle était si fatiguée qu'elle ne me demanda rien.　Et nous nous remîmes en route sur la route enfin moins brûlante que lorsque nous étions venues.

25　Cette fois je marchais sans penser, luttant contre la fatigue, espérant à chaque tournant rencontrer quelque carriole qui nous aiderait à rentrer chez nous.

Mon espoir ne fut pas déçu; après trois quarts d'heure de marche, une voiture conduite par un homme du village que 30 je connaissais bien, arriva à notre hauteur sur la route.

—Il faut monter dans ma voiture, Madame, me dit ce brave Genroud sans me laisser le temps de lui demander son aide.

J'acceptai.　A nous deux nous hissâmes ma pauvre chérie

à bout de forces.   Je m'assis près de lui et je la pris sur mes
genoux.

—Vous paraissez éreintées, me dit Genroud.   D'où venez-
vous donc?

—De l'Etang Noir, répondis-je.   Je crains qu'il n'y soit ₅
arrivé un malheur.   La petite croit y avoir vu les deux fils
de Mme de Veyres, et m'assure que l'un d'eux s'est noyé dans
l'étang.

L'homme se mit à rire:

—Elle a rêvé, Madame.   Je puis vous rassurer.   Juste- ₁₀
ment cette voiture où vous êtes a descendu ce matin en ville
M. Pierre qui partait pour Paris, et il m'a dit que son frère
allait faire un voyage en Suisse.

—Ah! tant mieux, fis-je avec élan.   Il me semblait qu'on
m'ôtait une pierre de dessus le cœur. ₁₅

Je regardai Cécile: sa petite figure se détendait un peu, le
rose reparaissait sur ses joues, elle dormait.   Il me sembla
que je venais d'être le jouet d'un rêve.

—Oui, elle a rêvé, me répétai-je.   L'histoire de la bergère
noyée dans l'étang, la dispute des deux frères chez moi, la ₂₀
cruauté de Pierre avec le corbeau, un accès de fièvre, tout cela
a fait dans ce petit être nerveux un amalgame qui s'est tra-
duit par cette vision effrayante.   Elle a eu du délire, comme
aux Vieux-Moulins.   Pourvu qu'elle ne tombe pas malade!

A peine arrivée je la mis au lit, et elle se laissa faire sans ₂₅
résistance.   Mais sa petite voix impérieuse répétait comme
un refrain: tu resteras à côté de moi, toujours!

Ma vieille Marie la voyant toute pâle, s'affola, car malgré
son caractère hargneux elle aime passionnément ma petite-
fille. ₃₀

—Que Madame me laisse aller à la ville chercher un docteur! criait-elle d'une voix perçante.

Je dus lui imposer silence, mais je la sentais prête à tous
les dévouements.   Sur un signe de moi, elle aurait couru à

la ville et traversé de nuit les bois-taillis où déjà en plein jour elle avait peur.

. . . Quelle nuit nous passâmes! Cécile, toute brûlée de fièvre, ne cessait de s'agiter, de m'appeler, de crier de terreur
5 dès que ma main quittait la sienne. La tête lui faisait mal, je redoutais l'affreuse méningite et, dans mon inquiétude pour ce petit être chéri, j'oubliai, je *voulus* oublier tout ce qui n'était pas elle.

Au matin elle s'endormit d'un sommeil plus calme qui
10 me permit aussi de prendre un peu de repos; je laissai à côté d'elle la vieille Marie, tout heureuse de la veiller un instant.

Quand je sortis du lourd sommeil qui s'appesantit sur moi pendant quelques heures, j'eus la certitude que j'avais rêvé. Oui, ma petite chérie avait été la victime d'un violent accès
15 de fièvre. En moi-même j'arrêtai la résolution de ne jamais reparler à cette enfant de ce qu'elle avait cru voir à l'Etang Noir; ce petit organisme nerveux ne supporterait pas de si fortes émotions!

V

Ai-je dit que cela se passait un jeudi? Le dimanche
j'étais encore si lasse et ma petite-fille si faible que je n'allai
pas à la messe au village. Ma vieille Marie y alla seule.
Au retour de la grand'messe, elle vint vers moi et me dit
d'un ton mystérieux: 5

—Madame sait-elle que M. de Balmes n'est pas rentré au
château depuis deux jours?

Je tressaillis et je sentis que mon sang s'arrêtait dans mes
veines. Je répondis d'une voix sèche qui m'étonna moi-
même: 10

—Laissez ces histoires, Marie. Un jeune homme peut
faire une fugue sans que tout le monde en parle.

Elle se mit à rire:

—C'est vrai, il est d'âge à s'amuser si cela lui plaît.

Cécile entrait dans ma chambre. Je congédiai Marie avec 15
brusquerie.

Mais je restai si impressionnée de cette nouvelle que tout
le jour il me fut impossible de rester en place et de travailler
à quoi que ce fût. Je ne pouvais parler à personne de l'inquiétude qui me tenaillait. Jamais la solitude ne me parut 20
plus pesante.

Cette pensée m'obsédait: la vision de ma petite fille serait-
elle vraie? et dans ce cas quel est mon devoir?

Une angoisse sans nom m'envahissait, faite de terreur, de
pitié pour le malheureux Rodolphe et de crainte de voir 25
mêler ma petite Cécile à un drame affreux. Malgré la fièvre
et le délire qui avaient suivi notre promenade, et malgré ce

que le brave Genroud m'avait dit du départ de Pierre pour
Paris, je gardais au fond de moi-même une vague croyance
à la véracité de cette vision, et voilà qu'une circonstance
venait la confirmer!

5   Devais-je prévenir la justice? Mais ce serait affreux pour
mon amie, et puis on viendra tourmenter ma petite-fille qui
se remet à peine de l'affreuse secousse, et cela je ne le veux
pas. Je me dois à elle avant tout, et je ne puis plus rien
pour ce malheureux garçon. Je regrettai d'avoir dit à Gen-
10 roud qui nous prit dans sa voiture ce que Cécile avait vu à
l'étang.

—Pourvu qu'il ne le répète pas, pensai-je, et qu'on ne
vienne pas nous interroger.

Je passai une semaine des plus pénibles. Ma petite Cécile
15 ne reprenait pas sa gaieté. Chose étrange pour cette enfant
si exubérante, elle n'avait pas dit mot aux deux bonnes de sa
promenade à l'Etang Noir, et se refusait à me quitter un instant pour jouer avec Rosine comme elle le faisait d'habitude.
Le soir, elle acceptait de s'endormir dans son petit lit en me
20 donnant la main, mais dès que je gagnais le mien quelques
heures plus tard, la petite, réveillée à demi, venait se coucher
près de moi, m'opposant une résistance de fer lorsque je
voulais la remettre dans son petit lit.

Le dimanche suivant, j'osais à peine me rendre à la messe.
25 Qu'allait-on m'apprendre?

Je sortis de l'église précipitamment, sans adresser la parole
à personne, comme si j'étais une coupable. Cependant je
m'étais rendu compte que je ne pouvais rester plus longtemps muette, il fallait que j'agisse d'une manière ou de
30 l'autre et je pris une résolution : j'irai voir Mme de Veyres,
et si vraiment son fils avait disparu, je lui suggérerai l'idée
d'un accident possible arrivé à l'étang. On chercherait le
corps et si on le retrouve . . .

A cette pensée je frissonnai . . . Si on le retrouve, aurai-je la force d'aller jusqu'au bout de mon devoir? . . .

Afin de garder tout mon courage, je fis atteler ce même après-midi de dimanche et je me rendis à Ploye. Le départ fut difficile. J'exigeai que Cécile reste à la maison et je lui cachai le but de ma sortie; elle pleura, et pour obtenir son obéissance, je chargeai la fille du fermier de l'emmener en champ aux moutons, ce qu'elle adorait et que je permettais rarement.

De son côté ma vieille Marie me fit aussi une vraie scène. Elle flairait un peu de mystère dans ma visite à Ploye et voulait savoir pourquoi je n'emmenais pas Cécile.

—Si c'est du bon sens de faire pleurer une enfant comme ça pour s'en aller toute seule! grommelait-elle.

Tout cela me fut si pénible que j'étais déjà lasse avant de monter en voiture. A mesure que j'approchais du château je me sentais devenir tremblante comme une feuille, et quand je descendis de voiture j'étais si faible qu'un enfant m'aurait renversée.

Dans les escaliers je secouai ma nervosité et préparai la phrase avec laquelle j'aborderais l'idée de l'étang. Quand la porte du salon s'ouvrit devant moi, je fis un grand effort et je m'avançai vers mon amie, la main tendue.

—Vous, dit celle-ci d'une voix joyeuse, quelle bonne idée d'être venue! Vous avez su mon inquiétude pour Rodolphe? Mais je suis tout à fait rassurée. Ce matin même le courrier m'a apporté une carte de lui datée de Lausanne. Le vilain garçon devait aller faire un voyage en Suisse, mais dans quelques jours seulement. Il est parti sans crier gare. De Pierre, ce sans-gêne ne m'aurait pas étonnée, mais de Rodolphe! . . . Je le gronderai.

Machinalement elle me tendait la carte de son fils, je la pris de ses mains et m'assis en face d'elle. Elle remarqua alors ma pâleur et mon trouble.

—Chère amie! comme vous êtes bonne de partager ainsi mes peines! Quand j'ai reçu cette carte ce matin, j'étais si ahurie que je ne reconnaissais même pas l'écriture de Rodolphe. Mais c'est bien lui, grâce à Dieu!

5 Je me souviens très bien que j'ai voulu lire la carte. Ce fut un pénible effort dans l'état nerveux où j'étais. Je ne trouvais pas mon lorgnon, et mes mains tremblantes n'arrivaient pas à l'assujettir devant mes yeux. L'écriture fine de Rodolphe était difficile à déchiffrer, mais j'ai pu lire 10 quand même jusqu'au bout.

Le jeune homme s'excusait d'un départ si brusque, annonçait une lettre et terminait en disant de ne pas lui envoyer d'argent, qu'il en avait emporté suffisamment. Le nom de Rodolphe était très lisiblement écrit.

15 Je connaissais peu l'écriture du jeune homme, et la lecture de cette carte ne m'apporta pas la tranquillité d'esprit que j'aurais dû éprouver.

Néanmoins je félicitai chaleureusement mon amie, puis je posai la question qui me venait tout naturellement aux 20 lèvres:

—Et Pierre?

—Pierre est à Paris. Il est parti le même jour que son frère, mais par le train du matin et n'avait pas revu Rodolphe. Un moment j'ai cru qu'ils étaient peut-être en-25 semble et j'ai télégraphié à Pierre. Il m'a répondu qu'il était seul à Paris. Enfin toutes ces inquiétudes sont passées. Je me reproche de m'être tant effrayée, un homme de trente-cinq ans n'est plus un enfant. C'est moi qui ne suis pas raisonnable. D'ailleurs, reprit-elle en riant, j'aurais dû pré-30 voir ce départ: les Lauranne sont absents pour un mois, ils sont chez des parents qui marient une de leurs filles. Pour Rodolphe, vous comprenez, Ploye n'a plus de charme.

Je souris.

—Alors chez vous aussi, on peut prévoir un mariage?

—Cela, je n'en sais rien encore.   Cette jeune fille ne livre
guère ses pensées.   Une seule chose est certaine, Rodolphe
est amoureux d'elle . . . et Pierre aussi.

Elle riait, tout en parlant avec volubilité.   Je la laissais
dire, un peu abasourdie.   Ma pauvre tête ballottée par tant 5
d'émotions me faisait si mal que je voulus rentrer chez moi
bien vite.

Mon amie insistait pour me faire partager avec elle un
chocolat mousseux et parfumé que la femme de chambre dé-
posait devant nous.   10

—Il faut nous remonter après tant d'émotions, disait-elle
gaiement.

Mais j'étais trop bouleversée et je rentrai chez moi avec
une violente migraine.

Lorsque ma petite-fille apprit que j'arrivais de Ploye, elle 15
vint me demander d'une voix hésitante:

—As-tu vu le grand Rodolphe, grand'mère?   Est-il guéri?

—Oui, oui, répondis-je hâtivement.

Et je me sauvai dans ma chambre pour que la petite ne
vît pas que je fondais en larmes.   20

Je tâchai de ne plus penser à cette aventure.   Quelques
semaines s'écoulèrent, je ne retournai pas à Ploye et j'évitai
de parler à qui que ce fût des habitants du château.   Il
était évident que ma petite-fille avait eu un accès de fièvre, et
je m'applaudissais de n'avoir pas appelé le médecin pour la 25
soigner.   Ainsi rien n'avait transpiré de son étrange vision
de l'étang.   Ce ne pouvait être qu'une hallucination.

Cependant, il me venait par moments un violent désir de
revoir Rodolphe de Balmes, d'entendre sa voix, de m'assurer qu'il était bien vivant.   30

Un soir, j'étais allée réciter mon chapelet dans l'allée qui
mène aux châtaigniers.   Je regardais vers l'horizon les
grands bois que la lune éclairait d'une douce lumière d'argent.   Je pensai tout à coup à l'étang qui se trouvait au delà

et une terreur inexprimable me prit à l'idée que la lune
éclairait peut-être là-bas l'horrible spectacle d'un cadavre
qui remontait à la surface de l'étang entre les tiges de nénuphars ou parmi les roseaux.

5   Je rentrai dans ma chambre toute bouleversée et ne pus
m'endormir cette nuit-là. Ah! j'étais bien la grand'mère de
l'impressionnable fillette qui, grâce à Dieu, dormait paisiblement à cette heure dans son petit lit à côté du mien.

Pourtant de cette nuit d'insomnie il me resta une raison de
10 plus pour fortifier ma conviction de l'irréalité de la vision de
ma petite-fille. L'étang doit être souvent visité par les ber-
gers des environs, on aurait vu le cadavre.

Non, non, tout était un rêve et sans doute Rodolphe de
Balmes était déjà rentré à Ploye et reprenait le cours de son
15 roman avec Mlle Lauranne.

J'aurais voulu m'en assurer et aller faire une visite à mon
amie. J'hésitais à cause de Cécile que je ne voulais pas emmener avec moi, redoutant pour elle je ne sais quelle impression lorsqu'elle se retrouverait en face de Pierre et de Ro-
20 dolphe. Depuis sa crise nerveuse il me devenait très pénible
de me séparer de cette petite, même pour quelques heures
seulement.

Je restai donc dans ma solitude, un peu surprise cependant
de ne recevoir aucune nouvelle de Ploye. D'habitude nous
25 voisinions beaucoup plus, mon amie envoyait fréquemment
ses fils me chercher. Cette année la présence de Mlle Lauranne devait les absorber. C'était naturel, et je ne leur en
voulais pas.

VI

Un soir de septembre ma vieille Marie revint du village chargée d'un lourd panier qu'elle me parut porter très allègrement. De loin je la voyais venir sur le chemin, toute petite, alerte et pressée, comme si elle ne rentrait pas dans un hameau où la vie s'écoule sans hâte.

—Elle doit avoir une nouvelle à nous apprendre, pensais-je, car le plaisir d'annoncer une nouvelle lui a toujours donné des ailes. Je souriais, ne me doutant pas, certes, qu'elle allait de nouveau bouleverser mon cœur.

—Madame, fit-elle dès qu'elle fut assez près pour être entendue, il est décidément arrivé un malheur chez Mme de Veyres. M. Rodolphe a disparu. On le croyait en Suisse, mais personne ne l'y a vu; on n'a point de nouvelles. La pauvre dame se fait du tourment, c'est affreux! On dit au village qu'il a dû lui arriver un accident dans quelque crevasse de montagnes.

Elle parlait, parlait, toute haletante de sa course rapide et du lourd panier qu'elle secouait avec énergie. Jamais son bavardage ne me parut aussi intolérable. Aux premiers mots qu'elle avait prononcés, une angoisse était remontée brusquement, du tréfond de mon cœur où elle dormait, toujours vivante, je la savais bien.

—Rodolphe a disparu, murmurai-je, et depuis quand?

—Hé! depuis bientôt deux mois. On dit qu'il est parti les derniers jours de juin. Il a écrit une fois, mais il ne disait rien de ses projets et Mme de Veyres a perdu la lettre. Elle n'avait pas pensé alors à la garder. On fait des recherches en Suisse. Son frère est parti. On ne parle que de ça au village. C'est la domestique du château qui l'a dit.

Elle avait posé à terre son panier et martelait chaque phrase d'un geste de ses petits bras courts. Rarement, je l'avais vue aussi excitée; il semblait qu'elle ne pourrait jamais s'arrêter de parler.

Elle aurait pu continuer longtemps, je ne l'entendais plus. Je repris cependant assez de sang-froid pour lui dire avant d'entrer dans la maison:

—Je vous défends de parler de cette disparition à Cécile; elle est trop nerveuse.

—Oui, oui, répondit Marie en bougonnant, car elle déteste qu'on lui fasse la moindre recommandation.

J'allai m'enfermer dans ma chambre et lorsque je pus dominer le tremblement qui m'avait saisie aux premiers mots de ma vieille Marie, je me mis en face de la réalité et je résolus d'en finir avec le doute. Hélas! je me retrouvais aux prises avec le troublant mystère qui avait déjà tant obsédé mon esprit.

Pour la première fois, au lieu d'écarter mes souvenirs, je voulus me remémorer tous les détails de cet après-midi.

—Voyons, pensai-je, le crime est possible, les deux frères étaient rivaux d'espérance et d'amour. Ils prétendaient tous deux à la possession du domaine et à la main de Mlle Lauranne. J'ai vu de près la coquette jeune fille excitant leur jalousie . . . J'ai entendu leur lutte furieuse un soir sous mes fenêtres, et j'ai vu le regard chargé de haine que Pierre a jeté sur son frère lorsqu'il l'a trouvé chez moi en compagnie de la jeune fille . . . Rodolphe a disparu le jour même où nous étions à l'Etang Noir . . . Pierre était descendu le matin pour prendre le train, c'est vrai; mais il y a un autre train le soir pour Paris, et il avait le temps de remonter de la ville et d'y redescendre . . . D'autre part, comment pouvait-il savoir que son frère était à l'étang à cette heure, et

comment expliquer cette carte datée de Lausanne?   Etait-ce
vraiment Rodolphe qui l'avait écrite? . . . Son frère n'avait-
il pu imiter son écriture? . . . Cette carte était perdue,
disait-on . . . Quelqu'un avait peut-être intérêt à la faire
disparaître   5
    Je m'efforçais de poser le problème avec indifférence, de
peser sans parti pris le pour et le contre.   Mais ma conscience me disait avec netteté: ce n'est pas à toi à discuter
les circonstances du crime, la Justice recherchera comment
les deux frères ont pu se rencontrer à l'étang, cela n'est pas 10
ton affaire.   Une seule chose te regarde: déposer entre les
mains d'un juge le témoignage de l'enfant, à lui d'en tirer les
conclusions.
    Mon devoir était tracé, le doute n'existait plus dans mon
esprit, tout me semblait à cette heure d'une clarté aveuglante 15
mais je murmurai presque à haute voix:
    —Non, non, je ne veux pas qu'on vienne tourmenter ma
petite Cécile.   On voudra l'interroger, on discutera sur son
témoignage, elle aura peur, je la connais.   Et puis que vaut
le témoignage d'une enfant de cinq ans?   Personne ne vou- 20
dra la croire.   Et d'ailleurs que m'importe?   Si le malheureux Rodolphe a été la victime d'un crime abominable,
je ne puis plus rien pour lui, tandis que ma petite chérie est
là bien vivante et il n'y a aucune raison pour laisser ébranler
sa santé par une violente secousse nerveuse.   25
    A mon anxiété se mêlait aussi l'effroi de porter à ma vieille
amie le coup terrible de cette accusation.   Ne me le repro-
cherait-elle pas toujours?   L'amitié n'a-t-elle pas aussi ses
droits?
    Sans cette carte de Lausanne j'aurais essayé de nouveau 30
de l'orienter sur un accident possible arrivé à l'étang.
    Tout à coup une idée traversa mon esprit: si le malheureux
Rodolphe est là, son corps a dû remonter à la surface.
Peut-être l'endroit est-il plus solitaire que je ne l'imaginais

et il est possible que personne ne soit allé dans ces parages
depuis lors.

Si j'y retournais avec quelqu'un? Je puis y entraîner
mon fermier sous un prétexte, je possède des bois-taillis aux
5 alentours. Mais si on retrouve le malheureux, il faudra en
venir quand même à dire que Cécile l'y a vu précipiter par
son frère . . . Ne croirait-on pas mieux à son témoignage
si je racontais sa vision avant qu'on ait retrouvé le cadavre,
car on le retrouvera, j'en suis sûre . . .

10 Pouvez-vous comprendre, vous qui me lisez, le tourment
de mon esprit aux abois? Non, je ne pouvais plus garder
ce secret pour moi seule; il me fallait un appui, un conseil.

Après de longues hésitations je résolus de descendre en
15 ville, pour consulter un ami de mon mari, avocat de grand
jugement et que je savais discret comme la tombe.

J'annonçai à tout mon monde que nous allions passer deux
jours à la ville. Comme je ne donnais aucune raison à ce
déplacement, je dus subir d'interminables récriminations de
20 ma vieille Marie, que j'ai habituée pour mon malheur à
connaître toutes les raisons de mes actes. Je subis l'orage
avec patience et je sentis qu'une vague consolation à ce
dérangement lui vint de l'idée qu'elle pourrait répandre en
ville l'histoire de la disparition de Rodolphe de Balmes. Un
25 après-midi de septembre nous vit rentrer dans notre appartement tout poussiéreux, hélas, ce qui n'améliora pas l'humeur
de ma vieille fille.

Le soir même, vers cinq heures, je me rendis au domicile
de M. Cergues. C'est un homme âgé, austère et sec. Il me
30 reçut dans son cabinet glacé par ce jour d'automne déjà
froid. Je lui racontai toute mon histoire telle que je
l'écris en ce moment. Mon récit commencé avec émotion se
heurtait à un visage fermé qui me décontenança peu à peu.
Je l'écourtai.

Quand j'eus fini, il secoua la tête et, après un silence qui me parut très long, il me dit:

—Voyez, Madame, il est impossible, sur le simple récit d'une enfant de cinq ans, nerveuse et imaginative comme vous me décrivez votre petite-fille, de mettre la police en branle, alors que des recherches sont faites sur une toute autre piste. Accuser un frère d'avoir tué son frère est quelque chose de bien grave. Vous parlez de rivalité entre eux pour une terre de famille et pour une femme, mais si vous vouliez regarder autour de vous, c'est par centaines que vous trouverez des cas analogues de jalousie. Ceux qui aboutissent au crime sont rares. D'autre part, Mme de Veyres a reçu une lettre de Lausanne, vous l'avez vue. Elle n'a pas hésité à croire que cette carte venait de lui, à reconnaître l'écriture de son fils.

—Elle a bien dit qu'au premier moment elle . . . .

—Ce n'est pas ce qui s'appelle hésiter, et la preuve c'est qu'elle fait faire toutes les recherches en Suisse. Il est d'ailleurs très possible qu'il ne soit rien arrivé de fâcheux à Rodolphe de Balmes. Il peut se cacher tout simplement, comme on l'a vu souvent dans des histoires de ce genre. Et puis par-dessus tout, écoutez bien ceci: toutes les fois que la justice a voulu retenir le témoignage d'un enfant, même plus âgé que la vôtre, elle s'est heurtée dans les interrogatoires à une volonté de mentir ou de dissimuler, accompagnée d'une incroyable ténacité. On ne peut imaginer jusqu'où va un enfant dans cette voie. J'ai vu des cas d'erreur monstrueuse causée par une confiance injustifiée dans un témoignage d'enfant. Avez-vous oublié cette affaire judiciaire qui a fait tant de bruit en Savoie il n'y a pas tant d'années? On avait arrêté un religieux accusé d'un crime abominable par cinq ou six fillettes. Le malheureux criait son innocence, mais un procureur sans conscience mit un tel acharnement à sa poursuite qu'il le fit condamner en première instance. En appel,

les enfants interrogées cette fois avec habileté, se coupèrent,
en vinrent à se disputer entre elles et à avouer que tout était
de leur invention.   Au début elles s'étaient excitées dans leur
mensonge et ne savaient plus comment revenir en arrière.
5 Aussi vous avez bien fait de venir me parler et je n'hésite pas
à vous dire: il faut désormais cesser absolument de vous inquiéter de cette affaire.

Il prononça cette dernière phrase avec un ton d'autorité
qui m'impressionna.

10 Je repris néanmoins:

—Vous ne trouvez pas étrange cette coïncidence entre la
vision de ma petite-fille et la disparition du jeune homme?

—Simple hasard!

Je penchai la tête et restai un instant silencieuse.

15 —Ayez confiance en moi, reprit le vieillard.   Avez-vous
reparlé de cette vision avec votre petite-fille?

—Jamais.

—C'est très bien.   Et cela remonte à deux mois!   Eh
bien!   Amenez-moi demain matin cette enfant.   Je l'in-
20 terrogerai devant vous.   Nous verrons si elle a gardé un souvenir précis là-dessus.   Mais surtout ne lui faites pas la
leçon d'avance.

Je revins le lendemain matin avec Cécile, un peu froissée
de la recommandation qu'il m'avait faite en partant.   Me
25 croyait-il capable de l'influencer?

Je n'avais pas dit à la petite pourquoi je l'amenais, mais à
peine entrée dans le cabinet de l'avocat, elle me jeta un regard inquiet; je devinai que le visage du vieil homme ne lui
plaisait pas.

30 Il la fit asseoir comme une grande personne sur une chaise
haute.   Je sentis qu'elle s'intimidait et commençai à m'inquiéter du résultat de cette visite.   A la première question
qu'il lui posa d'un ton froid, la petite sauta de sa chaise et
vint se réfugier sur mes genoux.

—Allons-nous-en, grand'mère, me dit-elle tout bas en me serrant le cou à m'étouffer.

Je la calmai et lui dis à l'oreille que si elle répondait sagement à ce monsieur, je la conduirais ensuite acheter des jouets. L'avocat que ce colloque agaçait, je crois, nous interrompit et répéta sa question plus sèchement :

—Qu'avez-vous vu à l'Etang Noir un jour de cet été?

Elle lui jeta un regard sombre.

—Rien, dit-elle en serrant les lèvres.

Je fis un mouvement pour parler, il m'imposa silence.

—Voyons, Cécile, reprit-il, vous étiez allée vous promener avec votre grand'mère Racontez-moi ce qui vous a effrayée à l'Etang Noir.

Il la toisait d'un regard froid, destiné à attirer son attention, et sans doute, croyait-il, à empêcher son imagination de battre la campagne. Mais il connaissait bien mal les enfants, il faut leur inspirer confiance avant toute chose. Celle-ci effrayée de ce regard ne répondit pas. Je sentais que tout son petit être se crispait, se refermait, et je compris qu'on ne tirerait rien d'elle. Elle refusait tout à fait de répondre, détournant la tête lorsque l'avocat lui parlait et soulageant ses nerfs en pinçant mes mains nerveusement.

On ne put rien lui faire dire. Après une demi-heure d'essais infructueux :

—Essayez vous-même, me dit l'avocat.

Je pris entre mes deux mains la petite figure contractée et lui dis en souriant pour la rassurer :

—Réponds à moi, Cécile, n'aie pas peur. Est-ce vrai que Pierre a poussé Rodolphe dans l'eau?

Elle abaissa le menton en signe d'affirmation.

—Tu en es sûre?

Nouveau signe semblable.

Je regardai l'avocat qui ouvrit les mains en signe de doute.

—Et après? repris-je, vers les vieux Moulins, quand tu m'as dit: voilà les ours! Les voyais-tu?

Dans les yeux bleus, je vis passer une lueur de détresse. Avait-elle peur? Ne se souvenait-elle pas de cet incident arrivé lorsqu'elle était dans un violent état nerveux? Elle éclata en sanglots en murmurant: "Je ne sais pas, grand'-mère."

Je la calmai en la berçant:

—Je ne veux pas te tourmenter, ma chérie, mais j'aurais voulu que tu racontes à notre ami ce que tu avais vu là-bas.

Je ne pus rien lui faire dire de plus.

L'avocat s'était levé.

—Je crois, madame, que cela suffit; vous voyez vous-même le résultat de l'épreuve. Il est inutile de la prolonger ou de la recommencer.

Je compris que son idée était arrêtée: la petite n'osait pas répéter devant lui un récit purement imaginaire.

Je me levai à mon tour.

—Ne gardez pas d'arrière-pensée, me dit-il. Vous vous rendez compte vous-même que ce témoignage ne peut pas servir de pivot à une enquête judiciaire aussi grave. Tout au plus, si d'autres circonstances venaient le corroborer, tout au plus ce témoignage pourrait-il être donné comme un renseignement de faible importance. Je répète: de *faible impor-tance*. Songez, Madame, à quelles folles erreurs pourrait être entraînée la justice si elle se fiait aux récits des enfants ou des simples d'esprit! La vérité doit être entourée de toutes les garanties possibles.

—Oui, oui, vous avez bien raison, dis-je avec conviction. Je vous comprends et je ne puis qu'approuver votre décision. J'ai bien fait de venir. Je vous remercie.

Je rentrai à la campagne, soulagée, complètement convaincue par le raisonnement de l'avocat que je trouvais plein de sagesse, me souvenant combien de fois Cécile avait pris devant moi ses imaginations pour des réalités. Quel air convaincu elle prenait pas plus tard que la veille, pour assurer qu'elle · avait vu le renard venir jusque dans le poulailler manger des poules, alors que simplement Rosine lui avait raconté que cela arrivait quelquefois. Et de quel ton délibéré elle racontait à la vieille Marie que le roi mage avait vu l'étoile de la crèche depuis les fenêtres de Ploye!

Non, non, cent fois non, on ne pouvait appuyer une croyance quelconque sur un témoignage pareil.

Allons, je ne voulais plus penser à cette aventure, c'était fini!

Fini! . . .

VII

Nous ne quittons pas la campagne avant les premiers jours de novembre et Mme de Veyres reste aussi à Ploye très tard dans la saison. Mais je ne me sentais pas le courage d'aller la voir. Je lui avais écrit affectueusement, disant qu'il ne fallait pas perdre l'espérance et que j'étais de tout cœur avec elle dans ses angoisses.

Elle ne se contenta pas de cela et m'envoya un jour chercher en voiture. Je ne pus refuser et j'allai passer près d'elle une heure bien cruelle. J'y trouvai Berthe Lauranne venue en automobile. Sa tête fine disparaissait dans une fourrure épaisse.

—Toujours rien de Rodolphe! me dit-elle en écartant son col. Je pus voir sur son visage tourné en face du jour qu'elle aussi était tourmentée d'inquiétude.

—C'est inouï, murmurai-je. Puis je demandai à mon amie :

—Etes-vous sûre que Rodolphe était parti pour la Suisse? c'est si surprenant qu'il ne vous ait pas parlé de son départ! Un accident n'a-t-il pu lui arriver près d'ici?

D'une voix brusque Mlle Lauranne me coupa la parole.

—Puisqu'il a écrit de Lausanne, à quoi sert de faire cette supposition?

Ce ton sec me déplut et je répliquai un peu séchement moi aussi :

—Il faut bien faire toutes les suppositions possibles puisque nous sommes dans l'inconnu.

Mais mon amie ne voulut pas entrer dans la voie que je lui suggérais; elle était sûre que son fils était allé en Suisse et que là seulement les recherches pourraient aboutir.

Mlle Lauranne l'appuyait avec vivacité, presque avec dureté. Moi-même je ne pus m'empêcher de mettre un peu d'âpreté dans la discussion avec elle. Qui sait si elle ne soupçonnait pas que sa coquetterie pouvait avoir poussé l'un des jeunes gens jusqu'au crime et s'effrayait-elle à l'idée qu'on pourrait l'en rendre responsable!

Pierre continuait ses recherches en Suisse. A deux reprises on avait cru trouver une piste, un voyageur mort dans une montagne écartée. Mais ce n'était pas Rodolphe, l'identité des voyageurs avait été reconnue.

Le désespoir de cette mère me remplit de nouveau de trouble et d'anxiété. J'avais beau me dire que mieux valait pour elle l'angoisse de cette disparition que de savoir . . . Mais non, je voulais m'en tenir à ce que m'avait dit l'avocat, cela était raisonnable.

Une seule chose continuait à m'obséder depuis ma conversation avec M. Cergues: sans doute le témoignage d'une enfant de cinq ans ne peut, selon son expression, *servir de pivot* à une accusation de cette importance, mais ce témoignage, ne pouvais-je pas le prendre à mon compte! A travers le cerveau de ma petite-fille, j'avais vu, moi.

Malgré les doutes que je ne cessais d'accumuler dans mon esprit, j'avais presque la certitude que la vision était réelle. Moi seule pouvais l'affirmer. Ni les cris de joie de Cécile pénétrant dans le bois qu'elle imaginait peuplé de bêtes sauvages, ni son hallucination après le coup de soleil sur la route et sa frayeur, n'avaient aucun rapport avec l'expression de détresse et de sincérité que j'avais lue dans ses yeux lorsqu'elle était venue se jeter sur moi en me racontant ce qu'elle venait de voir.

J'avais cherché jusque-là à me tromper moi-même, à m'abriter derrière l'enfant, alors que j'aurais dû, moi, prendre la responsabilité de son témoignage.

Je voulus tenter une dernière chance de détruire mes doutes.

Un après-midi de la fin d'octobre, peu de jours avant notre départ, la voiture du fermier s'arrêta à l'entrée du chemin sous bois qui conduit à l'étang; le cheval fut attaché, et Joseph le fils du fermier, prit avec moi le chemin de l'étang.

J'avais donné le prétexte d'examiner un bois-taillis qu'il s'agissait de vendre. J'eus vite réglé cette question. Le jeune homme allait reprendre le chemin qui rejoint la route:

—Venez avec moi jusqu'à l'étang, lui dis-je; ma petite fille y a perdu un manteau de laine cet été. Peut-être personne ne l'a-t-il remassé!

—Cela se peut bien, on ne vient guère par ici.

Je marchais vite, le cœur battant; vous avez deviné que je voulais voir si le cadavre était là, visible.

Dans le sentier je laissai le jeune homme passer devant.

—Allez le premier, lui dis-je, vos yeux sont meilleurs que les miens. Regardez si le manteau ne serait pas vers les roseaux ou les nénuphars.

Il hâta le pas et je ralentis le mien. Mieux valait que ce fût lui qui vit la *chose* le premier. Moi, je me traînai sur le chemin rendu glissant par les aiguilles de pins roussies qui le tapissaient. Le froid de cet après-midi d'automne me faisait trembler sous le châle de laine qui enveloppait mes épaules. En franchissant les derniers sapins du bois, j'étais si tremblante que je n'aurais pu avancer sans la canne dont j'avais eu soin de me munir.

Je ne regardais pas l'étang, je ne l'osais pas; j'écoutais avec terreur, m'attendant à tout instant à entendre un cri d'effroi de mon guide. Mais rien, rien, on ne percevait que le bruit des pas du jeune homme qui froissaient les feuilles mortes ou les roseaux.

A mon tour j'arrivai au bord de l'eau. Le soleil d'été n'éclairait plus joyeusement le paysage; aucune étincelle d'or

ne jaillissait des eaux verdâtres et l'herbe du sentier, brûlée
par la chaleur, était jaune et fanée.

Avec un effort de tout mon être, je levai enfin les yeux;
d'un regard j'embrassai la nappe glauque de l'étang.   Mais
je ne vis pas l'horrible chose que j'appréhendais d'y dé- 5
couvrir.

Sur mon désir, le jeune homme sauta dans la barque et
explora la surface de l'eau.

—Regardez bien, disais-je, ce manteau peut flotter entre
deux eaux.   10

Il se penchait, écartant les roseaux et les feuilles.

—Je ne vois rien, dit-il.

Je voulus faire avec lui tout le tour de l'étang.   Je me
traînais dans le sentier, je m'attardais, espérant, oui, *espé-*
rant trouver maintenant ce que j'étais venu chercher.   15

Il fallut me rendre à l'évidence, il n'y avait rien.   L'étang
gardait son secret et moi je gardais toutes mes angoisses.

Avant de m'éloigner de ce lieu, je jetai un dernier regard
sur le paysage qui s'assombrissait sous la prochaine venue
du crépuscule.   Sur le couchant rougeâtre, le sommet de la 20
colline se découpait, tout dentelé d'arbres noirs.   Au bord de
l'étang un chêne isolé dressait sa silhouette sombre qui se
reflétait dans l'eau gris-vert où la brise du soir mettait quelques rides plus foncées.

C'était triste et sauvage.   Mon cœur en reçut un choc et 25
je rentrai chez moi le front bas, lasse et découragée.

VIII

Peu de jours après je fermais ma maison de campagne et nous rentrions à la ville. Ce changement de lieux me soulagea, il me semblait que je me secouerais plus facilement de l'emprise que cette disparition de Rodolphe de Balmes avait jetée sur moi.

A la ville j'avais plus d'occupations, je voyais plus de monde, cette idée fixe cesserait de me hanter.

J'appris indirectement que Mme de Veyres avait aussi quitté Ploye pour se réinstaller dans son appartement de la ville, et que de nombreux amis l'entouraient. Les recherches continuaient en Suisse sans résultat, hélas!

Afin de mieux rester en dehors de tout ce drame, je renonçai à mettre Cécile en classe comme je le lui avais promis. Je redoutais un bavardage devant l'enfant. Elle fut très déçue de ma résolution, je lui avais fait envisager son entrée à l'école comme un grand honneur.

Et ma vieille cuisinière ne me ménagea pas les sarcasmes sur ces changements d'idées. Le jour où les classes se rouvraient, je la vois encore se dressant devant moi à la salle à manger où je déjeunais avec Cécile; elle avait sa figure fermée des jours de bataille, d'une main elle serrait son châle de laine noire sur sa poitrine, son autre main tenait à bout de bras le panier aux provisions.

—Je me suis *préparée toute prête*, me dit-elle d'un air sagace, employant son pléonasme quotidien. Et je pense que Madame va me permettre d'emmener cette petite; elle sera bien plus gaiement en classe que dans cette grande maison, toute seule avec des vieilles femmes.

66

—Allez aux commissions, Marie, et ne vous occupez pas de Mlle Cécile.

Elle pirouetta sur ses talons en poussant une exclamation de colère. Je retins avec peine une forte envie de rire en la voyant s'éloigner, toute petite dans sa longue robe, disant à haute voix combien il était malheureux de vivre avec des gens qui n'ont pas de bon sens.

Soudain, mon envie de rire cessa; j'entendis à côté de moi un sanglot réprimé de ma petite chérie: elle pleurait de regret devant sa classe manquée. Je faillis céder; pourquoi la faire pleurer? Mais ma terreur me reprit; je l'imaginais, entourée de fillettes curieuses qui, nous sachant voisines de Mme de Veyres à la campagne, la questionnaient sur la disparition de Rodolphe.

Cela vous paraît stupide, n'est-ce pas? mais vous prouve à quel point mon imagination était fascinée par ce drame.

Et je pris ainsi tout l'hiver d'incroyables précautions pour qu'on ne pût pénétrer jusqu'à Cécile. Je m'astreignis à la suivre dans toutes ses promenades avec Rosine et j'exigeai de Marie, indignée de ce gaspillage, que tous les jours le feu du salon soit allumé, afin de ne jamais recevoir de visites en présence de ma petite-fille. Je n'avais pas encore adopté la mode des *jours,* si commode, je le comprenais maintenant.

Un après-midi d'hiver la neige se mit à tomber sans discontinuer en flocons serrés qui formèrent bientôt une couche épaisse sur l'appui de ma fenêtre. Je me sentais dans une douce sécurité, comme si cette neige mettait une barrière entre nous et le monde et je contemplais avec tendresse ma petite Cécile qui peignait sur un album des animaux fantastiques tout en parlant à des amies imaginaires. Une superbe boîte de couleurs l'avait consolée de son école manquée.

J'étais presque arrivée à sevrer mon esprit de son idée fixe, mais hélas ce temps de quiétude arrivait déjà à son terme.

Ma vieille Marie m'apporta mon courrier, ses yeux perçants l'inspectaient selon son habitude, elle ne se gênait pas pour me faire part de ses réflexions.

—Qu'est-ce que cela veut dire, Madame? Voilà une
5 grande enveloppe où il y a écrit dessus en imprimé: *Procureur de la République?*

Elle me tendait une lettre. Je poussai un soupir et la posai devant moi sans l'ouvrir.

—Ce n'est rien, répondis-je d'un air dégagé. C'est une
10 affaire peu intéressante.

Cécile levait les yeux. Je me remis à travailler, tandis que la cuisinière s'attardait un instant.

Lorsqu'elle fut partie et que ma petite-fille se fut remise à sa peinture, je me décidai à ouvrir la lettre. D'avance
15 j'étais sûre qu'il s'agissait de la disparition de Rodolphe de Balmes. Que pouvait-on me vouloir?

C'était une convocation du procureur à passer à son cabinet deux jours plus tard. La lettre ne contenait aucune explication. Peut-être s'agissait-il de toute autre chose que
20 ce que j'imaginais.

Je me creusais l'esprit à ce sujet, assez tourmentée au fond, car je n'avais jamais eu jusque-là le moindre rapport avec la justice, lorsque le courrier suivant en m'apportant une lettre de Mme de Veyres m'apprit que je ne m'étais pas
25 trompée dans mes premières prévisions.

'Chère amie, m'écrivait-elle, dans le désarroi où m'a mise cette triste disparition de mon fils, j'ai égaré la carte postale envoyée par lui de Lausanne sitôt après son départ et j'ai oublié ce qu'elle contenait exactement. Cette carte,
30 vous l'avez lue, vous vous en souvenez peut-être mieux que moi Je me suis permis de donner votre nom au juge qui s'occupe de la recherche de mon pauvre fils, votre témoignage a de l'importance. Pardonnez-moi de vous occasion-

ner ce dérangement et cet ennui, mais je connais votre amitié.
Et puis venez me voir, je suis si seule!»

Les quelques jours de paix que je venais de traverser me
laissaient moins nerveuse, et c'est presque avec calme que
je me rendis au cabinet du procureur quelques jours plus
tard. Ma tête s'était tellement fatiguée à travailler sur
cette triste affaire, je m'en étais tellement saturé l'esprit,
qu'elle finissait par me devenir presque indifférente à cette
heure.

J'arrivais décidée à répondre tranquillement à toutes les
questions qu'on voudrait me poser et même à parler de la
vision de Cécile si la moindre circonstance me mettait sur
la voie. L'appareil de la justice produisait sur moi cet effet
de rendre simple et naturel le récit que je refoulais au fond
de moi-même depuis si longtemps.

L'entrée dans le cabinet du juge d'instruction m'impressionna un peu comme elle impressionne toute femme. Je
trouvai un magistrat jeune, un peu important,—je dis cela
sans malice, mais lorsqu'un homme cherche à produire de
l'effet, il est rare que son esprit soit très profond et j'allais en
avoir la preuve.

Il me traita du haut de sa grandeur; une vieille femme
est peu intéressante pour un jeune homme et lorsque j'eus
décliné mon nom et mon âge, il me dit:

—Mme de Veyres fait rechercher son fils, vous le savez.
Elle assure que peu de jours après sa disparition, il lui a
adressé de Lausanne une carte postale assez longue, mais elle
a malheureusement à peu près oublié ce qu'elle contenait.
Il paraît qu'elle vous a fait lire cette carte. Vous en
souvenez-vous? Ce serait . . . surprenant, ajouta-t-il.

—Si, Monsieur, je m'en souviens très bien, répondis-je.
L'inquiétude de mon amie et l'affection que je portais à
Rodolphe de Balmes m'avaient portée à attacher de l'impor-

tance à cette carte.   En voici les termes presque exacts, j'en
suis sûre.

Et je lui répétai le message tel qu'il s'était gravé dans ma
mémoire, au premier jour.

Le juge inclina la tête.

—C'est très bien.

Et avec un sourire un peu moqueur il ajouta:

—C'est une vraie chance que votre mémoire soit si fidèle,
plus fidèle que celle de la mère.   Vous êtes bien sûre de ce
que vous dites, n'est-ce pas?   Les témoins qui ne disent pas
la vérité, etc . . .

Et il me récita une formule juridique d'une voix impérieuse.

Le greffier écrivait à côté de moi, je lui dictai le texte de
la carte.

Quand ce fut fini, on me tendit la feuille que je devais
signer.   Je me levai, mais avant de prendre la plume, je
regardai le magistrat.

—Vous n'avez rien autre à me demander, Monsieur?

Et en même temps je me mis à trembler si fort que je
dus m'appuyer à la table.   Dans mes yeux le juge dut lire
l'angoisse que j'éprouvais, mais tirant de sa poche une
petite brosse, il se mit à lisser ses moustaches, et me dit avec
condescendance:

—Ne vous troublez pas, Madame.   C'est fini, vous pouvez
rentrer chez vous.   Cela suffit.

Il me congédia d'un geste, ne se doutant pas qu'il venait
en même temps de clore mes lèvres prêtes à s'ouvrir.

Deux jours plus tard, m'étant assurée auprès d'amis com-
muns que Pierre de Veyres était absent, j'allai voir mon
amie.

Elle était seule en effet et me reçut avec une grande
cordialité, puis elle me dit:

—Vous avez vu le juge, je le sais! Je vous remercie. A la suite de votre témoignage si précis, on a donné en Suisse de nouveaux ordres pour recommencer les recherches.

—Vraiment? fis-je d'un air navré.

Ainsi mon intervention dans cette triste affaire arrivait à ce résultat! J'eus un geste découragé auquel mon amie ne prêta pas d'attention.

—Pierre est rentré de Suisse l'autre semaine, reprit-elle, dans un tel état de fatigue et d'énervement que j'ai passé de tristes jours avec lui, je vous assure. Je lui conseillais d'aller à Paris pour quelque temps, mais il a refusé et a préféré s'enfermer à Ploye. Il est là-haut depuis trois jours. Par ce temps vous jugez si la campagne doit être gaie!

Elle me montrait la fenêtre derrière laquelle on voyait le ciel gris sombre et les toits des maisons tout blancs de neige.

—Je pense que cela calmera ses nerfs! ajouta-t-elle presque en riant, car elle avait toujours le don de mêler le rire et les larmes.

Quand je regagnai ma maison, la neige tombait de nouveau. Je pensais à Pierre de Veyres, enfermé dans la solitude de Ploye et je ne pouvais m'empêcher de me le figurer errant autour de l'Etang Noir. L'étang devait être couvert de glace; son secret était bien gardé. Mais avait-il réellement un secret à garder?

L'hiver passa, je revis très peu mon amie et j'évitais de parler d'elle. A quoi bon me torturer plus longtemps?

Un soir j'eus une nouvelle secousse qui me laissa nerveuse pendant plusieurs jours.

J'étais à la gare avec ma petite Cécile pour expédier un colis. Le train de Paris allait partir et le gare était encombrée de voyageurs. Dans l'un d'eux, tout enveloppé de fourrures, je reconnus avec effroi Pierre de Veyres. Rapidement je tendis à Cécile quelques monnaies.

—Va acheter tes images, lui dis-je. Je voulais l'éloigner, m'imaginant que Pierre allait peut-être nous aborder.

Elle se faufila jusqu'à la bibliothèque.

Pierre se rapprochait de moi. Il causait avec un homme âgé que je connaissais de longue date, un inspecteur des eaux et forêts retraité dans notre petite ville. La curiosité me retint là, alors que j'aurais si bien pu m'éloigner. Quand ils furent tout près, j'entendis nettement la voix du vieillard.

—Pourquoi, disait-il, pourquoi faites-vous des recherches en Suisse seulement? Votre frère était toujours par monts et par vaux; un accident a pu lui arriver dans ce pays. Avez-vous fait explorer les étangs, les rivières?

Brusquement je me retournai pour me trouver en face d'eux. D'où m'était venu ce courage? Tandis que le vieillard me saluait, je plongeai mes yeux dans les yeux de Pierre de Veyres. Ses yeux bleus se posèrent sur les miens, ses yeux d'un bleu d'acier. Il me regarda, mais comment dire? *il ne me vit pas.*

Quelle étrange impression me fit ce regard! Il devait voir autre chose! quelque chose qui absorbait toutes ses facultés et ne lui permettait pas d'en distraire une parcelle sur une autre pensée.

Les deux hommes s'éloignèrent, j'entraînai hâtivement Cécile à la maison.

Puis un soir de printemps je rencontrai le vieil avocat. Je ne désirais pas cette rencontre, tout ce qui me rappelait cette mystérieuse histoire me bouleversait comme au premier jour.

Ce fut lui qui m'aborda.

—Je vous accompagne, dit-il.

Il marcha un instant à mes côtés, silencieux, comme absorbé, les mains derrière le dos.

—Il vieillit, pensai-je.

—J'ai beaucoup réfléchi, dit-il enfin, parlant lentement, à
ce que vous m'avez dit cet automne, lors de votre visite.
J'ai causé avec le chef de la police: on ne trouve pas la
moindre trace du séjour en Suisse de Rodolphe de Balmes.
Alors j'ai cherché si quelque circonstance pouvait étayer le
témoignage de votre petite-fille. Quelqu'un a exploré
l'étang. On n'a rien trouvé. Il est vrai que cet étang-là
est très profond et ne rend pas ses cadavres. La vase en
est très épaisse, et du fond émerge tout un fouillis de lianes
inextricables; et un courant doit se produire au fond de
l'entonnoir, car cette eau n'est pas stagnante. L'étang se
remplit et se vide sans cesse par infiltrations. Il alimente
le ruisseau qui passe aux Vieux-Moulins. Le vider serait
impossible. J'ai tenu à vous dire cela. Le conseil que je
vous ai donné reste donc le meilleur à suivre.

J'inclinai la tête. Je ne doutais pas que le vieil avocat,
sans mettre l'Inspecteur des Eaux et Forêts au courant de ma
confidence avait dû le consulter au sujet de l'Etang Noir.
D'où la conversation avec Pierre de Veyres que j'avais entendue à la gare.

—Votre petite-fille ne vous a jamais reparlé de sa vision?
reprit le vieillard.

—Jamais. Ni avant sa visite chez vous ni après. Mais
jamais non plus elle ne m'a demandé à retourner chez Mme
de Veyres. C'est un peu étrange.

—En tous cas nous ne pouvons et ne devons rien faire.

Il scanda ces mots avec énergie.

—Mais je rentre avec vous, ajouta-t-il, j'ai quelque chose
à vous montrer.

Intriguée je montai chez moi, suivie de M. Cergues et le
fis entrer. Cécile qui guettait mon retour tourna le dos en
apercevant l'avocat et rejoignit les bonnes à la cuisine.

A peine assis au coin du feu, M. Cergues ouvrit sa serviette
et en tira un petit livre.

—C'est le *Précis de Médecine Légale par Lacassagne*
m'expliqua-t-il. Je vous l'apporte parce que je désire qu
vous ne gardiez pas de trouble dans l'esprit au sujet de l
vision que votre petite-fille a eue à l'Etang-Noir.

—Il est vrai que cette aventure me poursuit bien pénible
ment, répondis-je.

—Je l'ai compris et c'est pourquoi je reviens. Voyez
j'ai copié pour vous deux extraits de ce livre qui fait auto
rité dans la jurisprudence. Voici ce qu'il dit au sujet de
témoignages d'enfants.

Et le vieillard me lut d'une voix nette et lente les ligne
suivantes. Il me les a laissées en partant, je les reprodui
ici sans en changer un mot:

La Mythomanie

"Parmi les syndromes que l'on observe chez les dégénérés
"Dupré en a étudié un d'une importance tout à fait spécial
"en médecine légale et qu'il a dénommée d'un nom trè
"heureux, mythomanie, (du grec, $\mu\nu\theta o\varsigma$ fable, récit ima
"ginaire). Il définit ainsi la mythomanie: la tendanc
"pathologique plus ou moins volontaire et consciente au
"mensonge et à la création de fables imaginaires.

"L'enfant est un des mythomanes les plus intéressants à
"étudier. Tous les enfants ont *une activité mythique* plu
"ou moins marquée. Elle devient facilement perverse e
"par conséquent pathologique. C'est l'histoire des déposi
"tions fausses (affaire du père Bérard), des fabulation
"extraordinaires fabriquées par les petites filles pour satis
"faire leur curiosité éveillée par des suggestions "incon
"scientes."

Voici le second extrait:

"*Sur les crimes familiaux* . . . Dans ces épouvantable
"drames de famille, on voit parfois un des enfants qui s'étai
"trouvé à l'abri de la haine des siens, déposer en justice
"Il est interrogé sur la conduite de ses parents à l'égard de

«ses frères et sœurs.   D'autres fois son témoignage constitue
«la base de l'accusation dans un cas d'inceste ou d'attentat
«à la pudeur.   Contrairement au proverbe qui dit que la
«vérité sort de la bouche des enfants, nous enseignons que
«c'est le plus souvent le mensonge et l'erreur.   Montaigne a 5
«écrit: *La menterie chez les enfants, croît quant et quant*
«*eux*.   On en trouvera des exemples tout à fait convaincants
«dans la thèse de Rassier.   Nous admettons avec lui que chez
«l'enfant, l'imagination prédomine aux dépens du jugement.
«C'est parce qu'il juge peu et mal que l'imagination le fait 10
«mentir.   De plus il est méchant, injuste et vaniteux.   On
«ne doit pas attacher une grande importance aux dépositions
«que fait l'enfant, si celles-ci n'ont pas été contrôlées.»

Cette lecture me fit du bien en effet.   Je sentais que ma
conduite s'appuyait sur la raison et je fus reconnaissante au 15
vieillard de s'être dérangé pour m'apporter ce réconfort.

Il voulut encore me faire lire dans un journal le récit de
la disparition d'un homme du monde, père de famille dont
la police avait recherché les traces et le cadavre dans tous
les étangs et rivières des environs et qu'on découvrit long- 20
temps après en Amérique où il avait filé avec l'institutrice de
ses filles.

—Qui nous assure, ajouta M. Cergues, que Rodolphe de
Balmes, sentant sa mère prête à céder Ploye à son cadet, et
tourmenté par les coquetteries de Mlle Lauranne qui le 25
faisaient douter de son amour, n'ait préféré lâcher prise,
quitte à rentrer au pays plus tard!

—Mais il est parti sans argent, m'a dit sa mère.

—C'est un homme de ressources.

—C'est possible en effet, murmurai-je.   30

—Pourquoi pas?

La visite bienfaisante de cet ami de mon mari, plein de
jugement et d'expérience, laissa le calme dans mon esprit
pour plusieurs semaines.

IX

L'ÉTÉ suivant nous ramena à la campagne. L'hiver passé
à la ville m'avait un peu affranchie de mon idée fixe, mais
quand je rouvris la porte de ma chambre, tandis que Cécile
s'assurait que ses amis les beaux cavaliers de la tapisserie
l'avaient attendue tout l'hiver sans changer de place, je
sentis aussitôt que l'obsession allait me ressaisir.

Je résolus de me distraire, d'inviter des amies et des fillettes
de l'âge de Cécile. Nous eûmes ainsi quelques journées très
gaies, et rien ne m'était plus doux que d'entendre le rire clair
de ma petite-fille fuser au milieu d'autres petites voix joy-
euses. Moi-même j'arrivais à oublier cet affreux rêve, mais
cependant si on prononçait devant moi le nom de mon amie
de Ploye, une secousse nerveuse m'ébranlait aussitôt tout entière.

Un jour, je reçus un mot de Mme de Veyres qui m'invitait
à aller déjeuner chez elle deux jours plus tard, avec ma
petite-fille. "J'ai quelque chose d'heureux à vous confier,"
m'écrivait-elle.

—Aurait-elle eu des nouvelles de Rodolphe, pensai-je aussitôt. Pourvu que ce soit vrai!

Mais de crainte que Cécile n'entendît parler de cette disparition que je lui avais toujours cachée, je décidai de me
rendre seule à Ploye et l'après-midi seulement. Je répondis
dans ce sens à mon amie.

Ma promenade à l'aller fut agréable. Le temps délicieux,
l'odeur des foins qui montait de la campagne fraîchement
fauchée, cette jeunesse exaltante de la nature au début de
juin me remplissaient l'âme de joie. Le paysage de chez moi

est si doux, si varié de lignes et je bénis Dieu de m'avoir octroyé l'heureux don de sentir la beauté des choses.

En apercevant Ploye, mon cœur se serra. D'un effort j'écartai cette angoisse et, pour forcer mon esprit à se distraire, je me mis à réciter tout bas quelques vers de Lamartine qui se sont incrustés dans ma mémoire au temps de ma jeunesse.

Devant le château la présence de deux automobiles me surprit. Il y avait donc du monde chez mon amie! Je fus réjouie par cette pensée. Notre réunion perdait ainsi tout caractère d'intimité, et si Pierre était là comme j'avais lieu de le craindre, je pourrais mieux dissimuler mes impressions.

—Mme de Veyres a quelqu'un chez elle? demandai-je à la femme de chambre qui vint m'ouvrir.

—Oui, Madame, la famille Lauranne et M. et Mme de Puysac.

Je montai lentement l'escalier de pierre, j'essayai de prendre le masque de la cordialité, mais, je le sens aujourd'hui, cette cordialité était bien loin de mon cœur.

Dans le salon plein de monde et bruyant, je trouvai mon amie assise près de la fenêtre à son habitude, mais très vieillie, hélas, très changée. Dans sa pauvre figure marquée de rides, ses yeux s'enfonçaient décolorés. Son insouciance innée se marquait déjà dans la facilité avec laquelle elle mêla aussitôt ses peines et ses joies.

—Il ne faut pas m'oublier, dit-elle. J'ai tant souffert cette année! Maintenant, j'ai perdu tout espoir de retrouver mon pauvre Rodolphe. Je tâche de me rattacher à la vie pour Pierre, qui a tant souffert lui-même! Mais il est jeune, lui, il est très occupé dans le domaine, cela le distrait. Et puis il a le bonheur en perspective. Regardez cette jolie fille, presque sa fiancée, chuchota-t-elle à mon oreille.

Je me retournai, Mlle Lauranne était là gracieuse,

souriante, fraîche comme une rose. Son regard se posa sur
moi, un regard audacieux qui s'enfonça dans le mien comme
si elle voulait pénétrer dans mes pensées. Que me voulait-
elle? Avait-elle deviné que ma perspicacité perçait à jour
5 sa coquetterie avec les deux frères? Se souvenait-elle de
notre dernière rencontre chez Mme de Veyres l'automne
précédent, et de notre discussion assez sèche au sujet de la
disparition de ce pauvre Rodolphe et des recherches que je
conseillais de reprendre en Savoie!

10 Les parents de la jeune fille, que je connaissais assez peu,
vinrent me saluer, puis je revis les Puysac, vieux ménage
très lié avec nous au moment où ma fille vivait encore.
Cette rencontre me fit plaisir.

Néanmoins ma pensée suivait son fil et je me disais:
15 "Cette chose heureuse à laquelle mon amie fait allusion, ne
concerne pas Rodolphe, c'est du mariage de Pierre qu'il
s'agit."

Dans le fond du salon très grand, Pierre de Veyres, le dos
tourné, fouillait dans le casier à musique, il ne m'avait pas
20 vue entrer. Quand il m'aperçut, il s'avança vers moi les
mains tendues, le visage aimable, plus affectueux que jamais.

—Ah! Madame, vous voilà enfin! et ma petite amie,
pourquoi ne l'avez-vous pas amenée?

Je me laissai conduire par lui vers un fauteuil, près de
25 sa mère, j'agissais comme une automate. Pierre s'assit près
de moi:

—Je crois que je ne vous ai pas rencontrée depuis notre
grand chagrin, me dit-il à mi-voix. Je sais combien vous
y avez pris part. Vous aimiez notre pauvre Rodolphe et
30 votre sympathie pour ma mère lui a été bien précieuse.

Il parlait avec une sorte d'émotion contenue qui me parut
sincère, mais je n'eus pas à répondre, Berthe s'approchait
il lui céda sa place près de moi.

—Qu'avez-vous fait de notre petite fée de l'année dernière?

demanda celle-ci avec une grâce féline. J'eus l'impression
qu'elle voulait me faire oublier la brusquerie de notre
dernière rencontre. Je dus répondre, parler de Cécile.
Mme Lauranne se mêla à notre conversation.

—Il paraît que vous habitez une maison très intéressante, 5
entourée de châtaigniers de toute beauté. Nous voulons
aller les admirer et faire plus ample connaissance avec vous
et avec votre petite-fille, si vous le permettez.

J'acquiesçai le plus aimablement que je pus, sans bien
savoir ce que je disais, car depuis que Pierre de Veyres 10
s'était approché de moi, mes yeux ne pouvaient plus se
détacher de lui. Je restais confondue du calme avec lequel
il avait fait allusion à la disparition de son frère. Comme
il savait être maître de lui! Certes je ne pouvais m'attendre
à ce que ma vue pût le troubler, mais de le voir là, devant 15
moi, si tranquille, entourant de prévenances la jeune fille
qu'aimait son frère, je restais bouleversée.

Puisque la vision de ma petite-fille était fausse, quel besoin
avais-je donc de trembler ainsi?

J'entendais que Pierre demandait à Mlle Lauranne de 20
rouvrir le piano et de chanter un lied de Schubert.

—Je vous accompagnerai, disait-il.

—Votre Suzanne le chantait autrefois, ce lied, murmura
mon amie avec un bon sourire.

Le silence se fit et la voix de la jeune fille vibra dans le 25
grand salon. Ah! le pauvre Rodolphe était bien oublié.
Qu'a-t-elle chanté. Je n'en sais rien. Je ne voyais ni
n'entendais ce qui se passait autour de moi. A la place de
ce couple jeune qui respirait la joie de vivre, mon imagination voyait le malheureux Rodolphe cramponné à la barque. 30
"Il a crié un peu," avait dit Cécile. Mon Dieu! Mon Dieu!
Que mes pensées étaient lourdes!

Et un désir fou me vint d'amener ma petite-fille un jour
prochain, dans ce salon, sans la prévenir. Que ferait-elle?

Ce qu'elle ferait? Je le savais bien. De son petit pas léger elle irait droit à Pierre, et de sa voix impérieuse de petite reine qui n'a peur de personne, elle lui dirait: "Où est Rodolphe? Tu as été bien méchant avec lui à l'Etang Noir quand tu l'as poussé dans l'eau!"

Mais non, j'étais folle et il n'y avait jamais eu de crime. Je n'étais qu'une femme nerveuse qui s'était laissé impressionner par l'hallucination de sa petite-fille!

Quand je me levai pour partir, Berthe Lauranne s'approcha de moi et me dit:

—Chère Madame, nous irons vous surprendre un de ces jours, tous ensemble, mes parents, Pierre et moi. Je n'ose ajouter, Mme de Veyres aussi, car elle ne veut pas se déplacer. C'est dommage, ajouta-t-elle en se tournant gentiment vers ma vieille amie, l'auto est très douce je vous assure, vous ne seriez pas fatiguée.

—Non, non, pas moi, fit Mme de Veyres. Je suis devenue si casanière qu'un déplacement me fatigue toujours. Mais allez, et ramenez-moi ce petit bijou de Cécile.

Mme Lauranne appuya la promesse de cette visite.

—Nous aussi, nous voulons connaître votre petite Cécile. Ma fille dit qu'elle est ravissante et d'une extraordinaire précocité.

Pierre vint aussi.

—Je lui porterai des fleurs, dit-il. Les aime-t-elle toujours autant? Si je retrouve des bruyères blanches, je les lui réserverai.

J'inclinai la tête, incapable de répondre. Lui, il viendrait aussi!

Cette pensée m'affola à tel point que je descendis les escaliers à la hâte, et me jetai dans ma voiture comme si je prenais la fuite.

X

Pierre allait se rencontrer avec Cécile! Cette pensée martelait ma tête, m'ôtant le sommeil, me suivant dans toutes les actions que j'accomplissais machinalement le long du jour. Qu'allait-il se passer?

Tantôt je m'affolais à la perspective de cette entrevue, tantôt avec un calme étrange, je me disais:

—Eh! bien, advienne que pourra! On saura la vérité et il est bien temps qu'elle soit révélée!

Fallait-il prévenir Cécile? Lui enjoindre de ne pas parler de Rodolphe sous un prétexte quelconque, que je pouvais imaginer? Se rappelait-elle même sa vision, vraie ou fausse? Le silence absolu dont j'avais voilé ce souvenir, l'avait-il éloigné jusqu'à l'oubli?

Toutes ces questions se pressaient dans mon esprit tandis que j'attendais la visite promise avec une angoisse croissante. Oh! ces quelques jours d'attente, ils ont pesé dans ma vie! Il est impossible qu'ils ne l'aient pas diminuée, car mon pauvre cœur a passé ce temps-là dans une étrange excitation.

Par coquetterie de grand'mère, je soignais la toilette de ma petite-fille et elle se laissait faire.

Elle avait grandi depuis l'autre été et j'avais dû allonger ses robes roses ou bleues. Ses cheveux frisés trop longs maintenant pour être laissés en liberté, se nouaient en arrière avec un large ruban découvrant mieux sa jolie frimousse expressive et intelligente.

Mais elle restait menue et mince comme un jonc et son peu d'appétit me désespérait. Souvent en regardant ses yeux bleus qui se cerclaient de noir, l'épouvante me prenait à l'idée qu'une maladie pouvait fondre sur ce petit corps chéri.

Et à cause de cela j'en arrivais à penser que si un jour une révélation pouvait échapper à Cécile et jeter de la lumière sur la disparition de Rodolphe de Balmes, il valait mieux qu'elle soit jetée à la face de Pierre. Il fuirait sans doute alors, et ma petite-fille n'aurait rien à démêler avec la justice.

Le jour attendu avec tant d'anxiété arriva enfin. Un roulement d'auto se fit entendre. Le cœur battant je me dressai.

Cécile sauta de joie.

—Oh! grand'mère, une auto! Qui est-ce? Vous me laisserez aller dedans?

Elle courut vers la maison. Je la suivis, attentive à ses moindres gestes, regrettant de n'avoir pas pris ma canne, car je me sentais toute tremblante.

Quand j'arrivais vers l'auto, M. et Mme Lauranne, leur fille et Pierre de Veyres en étaient descendus et s'approchaient. Les gens du monde sont toujours bruyants et agités, ils parlaient tous à la fois, aimables, et s'extasiaient sur la beauté des arbres.

Je cherchais Cécile des yeux, ne la voyant pas. Où était-elle? Sans doute, intimidée à la vue de M. et Mme Lauranne qu'elle ne connaissait pas, s'était-elle enfuie!

Ce répit me permit de reprendre possession de moi-même et je fis apporter par Rosine des sièges de jardins en assez grand nombre pour que tout le monde pût s'asseoir sous les arbres.

—Et Cécile? réclama Pierre.

—Mais je la croyais avec vous. En entendant l'auto elle a couru à votre rencontre.

—Oui, je l'ai aperçue, fit Berthe. Elle a fait demi-tour subitement et elle est entrée dans la maison.

Rosine apportait une table d'osier:

—Envoyez-nous Mlle Cécile, lui dis-je machinalement.

M. Lauranne examinait les châtaigniers, calculant leur âge; sa femme parlait beaucoup, heureusement, car je n'étais guère capable de soutenir une conversation. Berthe, très bien mise selon sa coutume, parlait aussi avec animation, visiblement en coquetterie avec Pierre.

Je ne pus m'empêcher de faire un rapprochement avec son attitude de l'été précédent, lorsque Rodolphe l'entourait de prévenances. Saurai-je jamais le rôle joué par elle dans ce drame de famille? Ses yeux moqueurs et audacieux devaient être impénétrables.

Les deux jeunes gens causaient entre eux. Pierre, que j'évitais de regarder, me parut cependant toujours séduisant avec ses traits fins et réguliers, sa moustache d'or et cette élégance virile que j'admirais en lui. Je m'efforçais de vivre dans la minute même, de ne pas penser à celle qui allait suivre.

Cependant ma nervosité devait se laisser deviner, car Berthe Lauranne me dit:

—Vous n'êtes pas souffrante, madame?

—Non, non.

—Vous avez maigri.

Je m'efforçais de sourire et m'enfonçais dans mon fauteuil d'osier comme pour m'y enfouir.

Rosine revint seule.

—La petite n'est pas dans la maison, dit-elle. Marie dit qu'elle est allée dans le bois-taillis.

—Ah! la petite sauvage! fit Berthe Lauranne en se levant. Allons la dénicher, Pierre, voulez-vous?

Le jeune homme se leva et la suivit en riant.

—Cécile, Cécile! appelèrent-ils à tour de rôle.

Ils traversèrent le petit verger et disparurent bientôt dans le sentier qui s'enfonce sous l'épais taillis. J'avais renoncé à conduire les événements et j'acquiesçai d'un sourire à la remarque de Mme Lauranne qui murmurait à son mari :

—Je ne sais pas s'il faut beaucoup compter sur ces jeunes gens pour retrouver quelqu'un dans le bois.

Puis sans transition, elle me questionna :

—Vous connaisssez depuis toujours ce jeune Pierre de Veyres?

—Oui, répondis-je sans entrain.

—C'est un jeune homme sérieux n'est-ce pas?   La mort de son frère l'a beaucoup mûri.   Ma fille, qui est très clairvoyante, le trouve transformé.   L'année dernière, son frère aîné nous paraissait plus intelligent, plus sérieux, mais physiquement il n'était pas bien, ce pauvre Rodolphe! Ma fille qui les voyait souvent tous deux semblait cependant le préférer à Pierre.   Celui-ci est beaucoup plus joli garçon.

Elle parlait sans arrêt.   Je démêlais, dans ses paroles, le désir d'avoir mon avis sur Pierre, mais son intarissable verbiage me permit heureusement de demeurer sur la réserve.

A travers ce flux de paroles, je compris que si un projet de mariage était dans l'air, il n'y avait cependant encore rien de définitif, soit que les parents de la jeune fille attendissent d'avoir étudié de plus près le caractère de Pierre, soit que Pierre n'osât pas encore se déclarer.

J'écoutais parler Mme Lauranne.   Elle changea de voix tout à coup.

—Ah! voilà votre petit lutin!

En effet Cécile était arrivée sans bruit.   Elle se tenait près de mon fauteuil, raide comme une petite barre de fer, pas intimidée du tout, mais grave et rébarbative.

Cependant elle se laissa embrasser par Mme Lauranne et elle consentit à répondre par monosyllabes à son mari qui la questionnait aimablement.

—C'est vous l'écureuil de ce bois? dit-il.

—Non.

—Vous ne savez paz monter aux arbres?

—Non.

—Voulez-vous que je vous donne une leçon?

—Non.

—Je le lui défends, monsieur, repris-je, un peu gênée de cette mauvaise grâce, je ne pourrais pas la suivre. Elle a déjà tant de moyens de m'échapper!

Et je l'envoyai à la cuisine demander du thé et des gâteaux.

—Tu reviendras! dis-je.

Elle fit signe que oui et s'éloigna.

Je tournais le dos au bois-taillis, dans lequel Pierre et Berthe avaient disparu, et je m'étais remise à causer avec mes hôtes, lorsque plusieurs cris jaillissant à la fois nous firent tressaillir, cris de triomphe des deux jeunes gens qui, au sortir du bois avaient aperçu Cécile et couraient vers elle, cris de détresse de ma petite-fille qui voulut faire demi-tour afin de se rapprocher de moi, perdant ainsi de l'avance sur eux.

Gaiement, Pierre et Berthe couraient à sa rencontre, étendant les bras pour qu'elle ne pût s'échapper, lui coupant la retraite des deux côtés à la fois.

Cécile, voyant qu'elle ne pouvait revenir à temps sur notre groupe, se mit à fuir sur la gauche, là où les champs s'allongent en marécages.

J'avais senti à son cri qu'elle était terrifiée et sa petite figure, tournée vers moi une seconde, était pâle, contractée; ses yeux lançaient des éclairs de fureur. Je me levai pour l'appeler, inquiète de cette soudaine colère où je présageais quelque chose d'insolite.

Les jeunes gens couraient toujours, sûrs de la rattraper.

Je me hâtais vers eux.   Derrière moi, M. et Mme Lauranne,
assis à l'ombre, suivaient la scène en riant et j'entendis qu'ils
battaient des mains pour exciter le jeu.

Je marchais vers Cécile aussi vite que je le pouvais.   Dans
5 l'état nerveux où je la sentais, qu'allait-elle dire, qu'allait-elle
faire?

La frayeur me donnait des ailes, et lorsque Pierre et
Berthe la rejoignirent, je n'étais plus qu'à une faible distance
d'eux.

10   Cécile leur avait fait face, elle se mit à crier d'une voix
perçante:

—Allez-vous-en, allez-vous-en! je vous déteste!

Devant cette petite furie, les jeunes gens s'arrêtèrent.

—Voyons, Cécile, disait Berthe, nous ne voulons pas vous
15 faire peur.   C'est pour nous amuser que nous vous cher-
chions.   Ne pleurez pas.

—Vous devenez très laide en pleurant, ajoutait Pierre.

Mais la petite continuait à taper du pied, à frapper les
mains qui se tendaient vers elle, à crier:

20   —Allez-vous-en, allez-vous-en! d'une voix si aiguë, qu'elle
s'enrouait déjà.

J'arrivais près d'elle; elle se réfugia vers moi.

—Voyons, Cécile, fis-je doucement, est-ce ainsi que tu
reçois des amis?   Pourquoi cette fureur?

25   —Je les déteste, répétait-elle, pendant que j'essuyais ses
yeux et m'efforçais de la calmer, sentant son petit corps
tout frémissant.

—Pourquoi ne nous aimes-tu plus cette année? demanda
Berthe.

30   —Moi qui vous ai apporté des chocolats, ajouta Pierre;
venez les chercher avec moi, ils sont dans l'auto.

—Je les jetterai, répondit Cécile en lui lançant un regard
furibond, allez-vous-en!

—Dites-nous au moins pourquoi vous êtes fâchée contre nous, reprit la jeune fille.

—C'est un caprice, dit Pierre que cette scène ennuyait.

J'intervins. Ma voix tremblante se fit involontairement plus grave, presque solennelle:

—Réponds, Cécile, pourquoi n'aimes-tu plus Pierre?

Mais la petite figure rouge et furieuse se figea tout à coup, se contracta, exactement comme dans le cabinet de l'avocat lorsqu'il l'interrogeait. Il n'y avait rien à faire, elle ne dirait rien; j'aurais plus facilement brisé une barre de fer que vaincu sa résistance.

Il ne me restait plus qu'à l'emmener à la maison et la confier aux bonnes jusqu'au départ de mes visiteurs.

Lorsque je revins vers eux sous les arbres, ils parlaient de Cécile.

—Pour moi, cette petite est jalouse de toi, disait Mme Lauranne à sa fille. Pierre était son ami l'année dernière et ta présence l'offusque.

—Mais l'année dernière aussi, elle me voyait avec Pierre!

—La présence de Rodolphe changeait un peu les choses. Je connais bien des cas de jalousie d'enfants. Toi-même, Berthe, tu m'as fait de vraies scènes quand tu étais petite au sujet d'un ami qui s'occupait gentiment de toi. Tu ne pouvais supporter qu'il parle à d'autres fillettes.

Mme Lauranne s'était tournée vers moi:

—N'est-ce pas, Madame, que ces caprices d'enfants sont souvent occasionnés par la jalousie?

—Cela est très possible, dis-je, n'ayant aucune envie de la contredire.

Quelques instants après, mes hôtes s'éloignèrent et je les vis partir avec un soulagement inexprimable. Le jeune couple surtout me parut odieux; de profil je voyais le nez

busqué de la jeune fille et ses yeux durs, et je pensais involontairement que le mystère de ces yeux-là était encore plus
impénétrable que celui de l'étang solitaire.

Le soir, lorsque je me retrouvai seule avec Cécile, je ne lui
5 dis rien de la scène de l'après-midi, je voulais la laisser se
calmer. Une fois couchée elle fut lente à s'endormir;
cependant sa nuit ne fut pas agitée.

Le lendemain j'étais résolue à la questionner. Se souvenait-elle vraiment de sa vision de l'Etang Noir?

10 Lorsqu'elle eut déjeuné, avant de la laisser s'exciter par
les jeux bruyants qu'elle affectionne, je la pris sur mes
genoux:

—Ma petite Cécile, lui dis-je, réponds-moi. Pourquoi
t'es-tu mise en colère hier contre nos amis?

15 Elle baissa sa petite tête frisée:

—Je déteste Pierre, dit-elle. Il est méchant, il a poussé
Rodolphe dans l'eau.

—Tu te souviens de cela?

—Oui.

20 Et elle questionna à son tour:

—Tu ne m'as pas dit si Pierre a embrassé Rodolphe quand
Rodolphe a été guéri? Je crois que non. Tu vois,
Rodolphe est parti, où est-il?

—Il fallait le demander au Monsieur chez qui je t'ai con-
25 duite cet hiver. Tu n'as rien voulu lui dire.

Elle fronça son petit visage.

—Je ne l'aime pas, ce monsieur. Et puisque je t'avais
tout raconté à toi!

Et elle sauta à terre, pressée d'aller s'amuser avec Rosine.

30 Sa réflexion me laissa très impressionnée: *puisque je t'avais
tout raconté à toi.* Dans son esprit, elle jugeait qu'elle
s'était déchargée sur moi du soin de parler. Avait-elle
tort?

L'inquiétude me reprit en voyant combien elle se souvenait. Que faire? Il était trop tard maintenant. Et si pourtant la vérité était dans la bouche de cette enfant! La vérité ne doit-elle pas primer toute autre considération?

Pouvais-je laisser accomplir ce mariage qui se préparait? En avais-je le droit?

Je passai de nouveau une semaine bien cruelle, puis . . . une idée me vint.

. . . Pendant plusieurs jours, dès que ma petite-fille, dont les yeux perçants voient trop clair, était partie en promenade, j'allais m'asseoir à mon bureau, et là, patiemment, lentement, comme un criminel qui prépare un mauvais coup, je m'exerçais à contrefaire mon écriture. Après de longs essais, je pus écrire ces quelques mots à l'adresse de Pierre de Veyres:

Quelqu'un vous a vu à l'Etang Noir, le 20 juin 1913.

Pas de signature et une écriture impossible à reconnaître.

Si la vision de ma petite-fille est fausse, pensai-je, il brûlera ce papier sans y prêter attention, mais si elle est vraie . . .

Je descendis moi-même en ville mettre cette lettre à la poste, puis j'attendis, à la fois soulagée et inquiète.

XI

Le mois de juillet s'acheva sans rien m'apprendre. Nous étions en 1914. Le mois d'août commença par le coup de tonnerre que vous savez.

Ce que furent pour moi les premiers jours de la guerre, il vous est facile de l'imaginer. Nous étions comme prisonniers dans notre hameau écarté; les chevaux ayant été réquisitionnés, on ne pouvait se servir des voitures. Mon fermier restait le seul homme valide, ses deux fils aînés ayant rejoint leur bataillon de chasseurs alpins.

Aucune nouvelle de la guerre ne parvenait jusqu'à notre solitude, et la campagne déserte était plus silencieuse que jamais. Ce silence angoissant augmentait la fièvre patriotique qui me secouait et que je ne pouvais soulager que par de ferventes prières. Chose étrange pour une vieille femme comme moi, dont l'enfance avait subi les tristes jours de 70, un immense espoir gonflait mon cœur, et je ne doutais pas de la victoire.

Je sus que Pierre de Veyres était parti, rejoignant le régiment de cuirassiers où il était brigadier. Quelquefois ma pensée revenait à Rodolphe de Balmes, et un espoir traversait mon esprit depuis la déclaration de guerre : l'avocat, M. Cergues ne m'avait-il pas fait entrevoir l'éventualité d'une disparition volontaire, causée par le désir de se soustraire à la lutte avec son frère pour la possession du domaine et pour la main de leur brillante voisine, lutte où il se serait senti vaincu d'avance?

Dans ce cas, je n'en doutais pas une seconde, Rodolphe aurait reparu à la mobilisation. Son cœur était trop haut

90

placé pour ne pas revenir coûte que coûte prendre sa place parmi les défenseurs de la patrie en danger.

Je rêvais quelquefois de ce retour, jouissant presque d'avance de l'immense soulagement qu'il m'aurait apporté.

Un des jours de septembre, aidée de Cécile et de Rosine, 5 je ramassais les châtaignes sous les arbres, dans de petits paniers que Rosine allait vider sur le tas commun près de la maison, suppléant ainsi dans la mesure de nos forces les fils du fermier partis pour la guerre.

Absorbés comme nous l'étions, aucune de nous trois n'avait 10 entendu que quelqu'un s'approchait et nous tressaillîmes lorsqu'une voix jeune, tout près de nous, m'appela par mon nom.

—Madame Arvinjaud, bonjour! Je vous dérange.

Je me redressai péniblement.   15

—Mademoiselle Lauranne, fis-je avec surprise. Vous, ici!

—Oui, j'arrive à pied. Auto et chevaux, tout a été réquisitionné chez nous. La petite voiture à âne, en allant aux commissions, m'a déposée au village et m'y reprendra tout à l'heure.   20

—Je vous croyais à Paris.

—Mon père seul y est rentré. Ma mère a pris froid, ce qui nous a obligées à rester ici quelques jours de plus. Mais nous partons demain.

Elle parlait de sa voix chantante. Dans son tailleur 25 sombre, sous le feutre gris, elle gardait ce chic et cette élégance qui attiraient l'attention partout où elle passait.

Je compris qu'elle avait quelque chose à me dire, car sans regarder Cécile qui la dédaigna aussi, elle m'entraînait hors du bois de châtaigniers, tournant le dos à la maison, le long 30 de l'allée de cerisiers qui mène au petit oratoire, gardien du domaine.

Mlle Lauranne me disait:

—J'ai vu hier Mme de Veyres. Elle a reçu de son fils un mot très court. Il va bien, malgré les fatigues supportées.

—Où est-il?

⁵ —Il ne le dit pas, naturellement cela est interdit. Mais moi je le sais par ailleurs. Mon père a vu à Paris un officier d'état-major qui arrivait du front. Il paraît qu'une lutte effroyable est engagée en ce moment entre la garde prussienne et une de nos divisions. Le régiment de cuirassiers ¹⁰ dont Pierre fait partie prend part à cette bataille.

—Et où donc?

—Là-bas, aux Marais de Saint-Gond. On se bat dans l'eau, dans la boue, une boue si épaisse qu'hommes et chevaux s'y enlisent!

¹⁵ Pourquoi en prononçant ces mots d'une voix tragique, Berthe Lauranne fit-elle un geste vers l'horizon, un geste qui désignait, au delà des bois jaunis, la petite colline derrière laquelle se dissimulait l'Etang Noir? Pourquoi, dans ma pensée, un rapprochement se fit-il instantanément entre ²⁰ le champ de bataille où le malheureux Pierre luttait dans l'eau, dans la boue, et l'étang limpide, mystérieux et profond?

La jeune fille continuait à parler. Elle me priait, si je voyais Mme de Veyres, de ne pas lui donner ces détails ²⁵ angoissants.

Nous étions arrivées au bout de l'avenue. Je voulus faire demi-tour et revenir vers la maison. Malgré le peu de sympathie que j'éprouve pour Mlle Lauranne, je désirais user envers elle de l'hospitalité coutumière et la faire entrer, ³⁰ lui offrir un thé réchauffant, car l'humidité nous glaçait. Mais elle m'arrêta, et brusquement comme si elle prenait son parti, elle se plaça en face de moi et les yeux dans les yeux, elle me dit:

—J'ai toujours désiré vous adresser une demande: ne

savez-vous pas quelque chose de plus que tout le monde au sujet de la disparition de Rodolphe de Balmes?

Je me sentis tout à fait décontenancée devant cette question posée à brûle-pourpoint.

—Moi! . . . balbutiai-je.

—Oui, vous, Madame. Je l'ai pensé un jour à Ploye, oh! je ne sais pourquoi! Il m'a semblé que vous parliez avec quelque réticence, comme quelqu'un qui n'ose livrer sa pensée. Dites-le-moi! Quelle supposition peut-on faire sur cet étrange événement?

Elle me fixait de ses yeux froids, de ces yeux dont je n'aime pas l'expression. Ce regard me rendit à moi-même et je répondis avec lenteur:

—Oui, j'ai fait une supposition et je la fais encore: j'espère que Rodolphe n'est pas mort, j'espère qu'il a disparu volontairement et que . . .

—Quoi? fit-elle avec un étonnement qui n'était pas joué, disparu volontairement! Que voulez-vous dire?

—Je veux dire, repris-je presque durement, je veux dire que Rodolphe vous aimait et qu'il devait souffrir de ne pas savoir si c'était à lui ou à son frère que vous accorderiez votre préférence. Rodolphe sentait son frère plus séduisant que lui et je pensais . . . que peut-être il avait fui la lutte . . . ou l'écroulement de ses espérances.

Mais c'est invraisemblable! reprit le jeune fille avec véhémence. Justement avant de partir, je lui avais promis que, dès mon retour, nous annoncerions nos fiançailles. Il devait, en mon absence, en parler à sa mère.

—. . . Alors . . . vous m'enlevez le dernier espoir qui me restait au cœur de revoir ce malheureux jeune homme. Oui, j'avais espéré que la déclaration de guerre l'obligerait à revenir, à se montrer, à reprendre sa place!

Mais elle secouait la tête:

—Non, non, il ne s'est pas enfui volontairement. Je vous

l'affirme, Madame. Notre dernière entrevue, la veille de mon départ, avait été des plus cordiales. A lui seul j'avais donné mon adresse en Anjou où j'allais assister au mariage d'une amie, et j'ai attendu en vain une lettre de lui. Pourquoi aurait-il quitté le pays?

Je gardai le silence, convaincue par son accent de sincérité et ne tenant point à prolonger cet entretien.

—Je vous remercie de m'avoir dit votre pensée, continuait Berthe Lauranne. Je croyais que vous saviez quelque chose . . . d'autre . . . , que vous soupçonniez quelque chose, et bien des fois j'ai eu le désir de vous questionner, mais je ne l'osais pas. Maintenant la guerre semble avoir balayé toutes autres préoccupations et l'oubli recouvre cette aventure.

Elle parlait avec un air détaché qui me déplut, ce terme d'*aventure* me choqua, et je ne pus me tenir de lui répondre:

—L'oubli ne supprime rien, Mademoiselle. Le mystère de cette disparition ne sera peut-être pas révélé avant le grand jour où tous les voiles tomberont. Mais d'ici là, rien au monde ne peut détruire la responsabilité de ceux qui ont pu être une cause, même éloignée, de ce drame. Les événements, en se chevauchant les uns sur les autres, ne s'annihilent pas.

Mlle Lauranne ne me répondit rien. Elle regardait droit devant elle, et, reprenant son habituelle expression moqueuse, elle me quitta brusquement, refusant l'offre que je lui adressais d'entrer se réchauffer à la maison.

Je crois que dans mon récit, la silhouette de cette jeune fille doit apparaître avec peu de précision: je n'y puis rien, je ne la connais pas. Les rares fois où nous nous sommes rencontrées, aucune sympathie ne nous a rapprochées. Et cependant je n'ai jamais été malveillante pour la jeunesse. C'est même ce sentiment qui retient ma plume lorsque je parle de Berthe Lauranne; je crains de dépasser la vérité si

j'insiste trop sur cette froide coquetterie qui m'apparaissait
en elle. Je n'ai aucun désir de suivre cette jeune fille dans
la vie où elle s'épanouira lorsque déjà j'aurai disparu.

Elle s'éloigna d'un pas rapide de ma vieille maison que
le crépuscule assombrissait. Je la regardais diminuer sur ₅
le chemin grisâtre; bientôt elle disparut au tournant.

Le jour avait baissé et le soir tombait. La vision évoquée
par Mlle Lauranne passa devant mes yeux: "Une lutte
effroyable est engagée en ce moment aux Marais de Saint-
Gond . . . On se bat dans l'eau, dans la boue." Je voyais ₁₀
Pierre enfoncé dans cette vase épaisse! Le malheureux!
. . . Et tant d'autres autour de lui! . . . Devant moi les
cerisiers de l'avenue me parurent soudain comme éclaboussés
de sang.

Les larmes m'aveuglaient. Je les refoulai, ne voulant pas ₁₅
effrayer ma petite-fille et je revins sur mes pas vers les
châtaigniers. Sous les arbres, Rosine et Cécile ne se dis-
tinguaient plus que comme deux petites taches sombres. Je
les appelai; Cécile courut vers moi et vit mes yeux humides:

—Tu pleures? ₂₀

—Ce n'est rien, ma chérie, je pense à ceux qui sont à la
guerre.

—Oui, mais moi, je suis là, grand'mère!

Elle se blottit contre moi, pauvre petit oiseau frileux qui,
pour longtemps encore, aura besoin de croître sous l'aile de ₂₅
ma tendresse vigilante.

En octobre, le bruit courut que Pierre avait été tué.
Cette nouvelle répandue par les femmes des maisons dis-
persées aux alentours, me laissa incrédule. Néanmoins,
j'envoyai ma vieille petite Marie aux informations; c'était ₃₀
son affaire. Elle revint toute bruissante et bourrée de récits
variés sur tous les jeunes gens des environs, mais sur Pierre
les renseignements n'étaient pas plus précis que sur les autres.

Le dernier dimanche du mois, j'allai à pied à la messe du

village. Dans l'église, tout le côté de la nef réservé aux
hommes était vide et l'enceinte semblait plus vaste et plus
sonore. Je cherchais des yeux le banc des habitants de
Ploye et je vis avec surprise qu'il était vide.

5   Une voisine, qui suivait mon regard, se pencha vers moi :
—Le Maire a reçu avant-hier une dépêche annonçant que
M. Pierre a été tué. Il est allé tout de suite la porter au
château. On dit que Mme de Veyres est bien malade.

Je laissai tomber ma tête dans mes mains. Quoi! le
10 drame auquel j'avais été si étrangement mêlée finissait ainsi
brusquement, gardant son mystère pour toujours! Un grand
apaisement se produisit dans mon âme à l'idée que ce n'était
pas moi qui avais apporté le malheur chez ma vieille amie, et
aussi en pensant que si le pauvre Pierre était coupable, sa
15 mort effacerait sa faute.

Malgré l'angoisse qui accompagne toujours toute nouvelle de mort, je sentais en moi comme un immense soulagement parce que mon rôle était terminé et que la responsabilité si pesante à mes épaules disparaissait enfin.

20 Quel avait été le sort de ma petite lettre? Peu importait
maintenant. Un hasard ou plutôt une providence mystérieuse avait réglé les événements avec une implacable justice.
Un tribunal plus haut que celui des hommes avait rendu sa
sentence. Cela ne me regardait plus.

25 Mais il me fallut longtemps avant de pouvoir prier avec
calme pour les deux frères disparus.

Au retour de la messe, j'aperçus selon la coutume ma
petite-fille qui me guettait sur la grand'route, à l'entrée de
l'étroit chemin qui mène chez nous. Rosine était avec elle.
30 Toutes deux avaient à la main de longs bâtons.

—Es-tu fatiguée, grand'mère? demanda Cécile.

—Un peu, ma chérie. Et puis, je suis triste. Tu te
souviens de Pierre, Pierre de Veyres?

Elle fit signe que oui.

—Il a été tué à la guerre.

—Ah! fit-elle d'un air triomphant en agitant son bâton; tu vois, Rosine. Nous avons tué cent Allemands, grand'mère, et chez les Français, rien qu'un tué, rien que Pierre.

Son indifférente gaieté me peina. J'insistai:

—Mais, Cécile, le pauvre Pierre a bien souffert, il faut prier pour lui.

Il me semblait qu'une prière de cette petite âme innocente serait efficace pour le malheureux, coupable ou non de l'horrible crime de l'Etang Noir. Mais Cécile était beaucoup trop passionnée par son nouveau jeu et me répondit avec froideur:

—Ce soir, grand'mère, on priera pour lui. Aujourd'hui nous avons trouvé un nouveau nid d'Allemands dans le bois, il faut aller le battre, tu comprends.

Je n'en tirai rien de plus et elle s'élança, suivie de son fidèle lieutenant, battant la haie de son grand bâton, murmurant sans arrêt d'entraînantes paroles à ses soldats imaginaires. Toujours la même, mêlant le rêve et la réalité!

Dès le lendemain, le fermier put par complaisance trouver à un village voisin un vieux cheval qu'on attela à la voiture. Et je me fis conduire au petit castel de Ploye.

Sur la route, je longeai le bois qui encercle l'étang et je passai à côté du chemin par où Pierre de Veyres s'était enfui: "Là, là, il quitte la route," avait crié ma petite-fille éperdue. Le voyait-elle réellement? Pauvre Pierre, où fuyait-il? Le destin l'avait arrêté dans sa course, l'entraînant à la plus effroyable des morts.

Les bois respiraient une telle paix par ce radieux jour d'automne que j'aurais dû en être pénétrée. Mais qui pouvait jouir de la paix, à cette heure tragique pour le pays?

Au château je trouvai ma vieille amie un peu remise de

la crise cardiaque qui avait inquiété son entourage.   Elle
me reçut à sa place accoutumée.

—Tous les deux! me dit-elle en pleurant.   Je suis seule,
maintenant.

5   Elle ne connaissait aucun détail sur la mort de son fils.
La dépêche laconique ne mentionnait ni le jour, ni le lieu,
ni les circonstances de cette mort, mais moi, j'aurais pu
presque reconstituer l'horrible scène de carnage.

Quand elle m'eut raconté le peu qu'elle savait sur les
10 derniers mois de la vie de son fils, elle ajouta:

—A vous, je dis toutes mes peines.   Mais croiriez-vous
que mon malheureux Pierre allait me causer un immense
chagrin lorsque la guerre a éclaté!

Un frisson me secoua; qu'allait-elle me dire?

15   —Oui, reprit la pauvre mère.   Au moment où il venait de
me charger de demander pour lui la main de Mlle Lauranne, après m'avoir promis qu'il passerait désormais toute
sa vie à Ploye, hiver comme été, il vint brusquement me
déclarer quelques jours après qu'il ne voulait plus se marier,
20 qu'il allait quitter le pays, partir pour le Canada, et tout de
suite, tout de suite!   Il m'a fait d'épouvantables scènes pour
que je réalise les capitaux dont il avait besoin tout de suite,
tout de suite!   Télégraphiquement, il avait même arrêté
son passage sur un paquebot.   Et impossible de le raisonner,
25 il était comme fou!   Jamais je ne l'avais vu ainsi . . . Au
point que son départ pour la guerre m'a soulagée . . . Ah!
les jeunes gens qui se laissent guider par le caprice!

Sa voix secouée de sanglots me parut tout à coup venir de
très loin, le fauteuil où j'étais assise me sembla s'enfoncer
30 dans un gouffre et, autour de moi, tout s'obscurcit.

Allais-je m'évanouir?   Je fis un effort violent pour aspirer
de l'air et parvins je ne sais comment à reprendre possession
de moi-même.

Mais je me sentais glacée.   Et dans le vieux salon qu'un

merveilleux coucher de soleil avait illuminé un instant, je m'attardai longtemps, longtemps, par lassitude de l'effort qu'il me fallait faire pour partir.

Enfin je quittai Ploye et la voiture m'emporta sur la route déjà assombrie par le crépuscule. En passant devant le chemin qui entre sous bois, je tressaillis. L'Etang Noir devait être sinistre à cette heure tardive! Et je ne pouvais plus douter maintenant du mystère affreux que recouvraient ses roseaux et ses nénuphars.

Juin 1915.

EXERCISES

CHAPTER I

QUESTIONNAIRE.

1. Pourquoi la femme qui écrit le livre est-elle seule dans la vie? 2. Pourquoi doit-elle s'y rattacher? 3. Décrivez sa petite-fille. 4. Qui est Rosine? 5. Qu'est-ce que Cécile a fait après avoir entendu lire *Le Livre de la Jungle?* 6. Qu'est-ce qui a décidé la grand'mère à écrire ce livre? 7. Qu'a-t-elle ordonné à Rosine de faire?

THÈME.

Cécile was a little girl, seven years old, with blond curls and blue eyes. She was very imaginative and liked to tell to herself stories from the Jungle Book. When she played with Rosine in the woods, she would come back and tell her grandmother that she had seen there the old bear, the panther and the serpent Kra. One day her grandmother heard her say: "Since he has been so naughty then, we'll throw him into the Black Pool." This phrase so frightened her that she sent Cécile to play with Rosine under the chestnut trees. She had to sit down to recover from her emotion and she decided to write the story of a terrible drama which had been worrying her for several years.

CHAPTER II

QUESTIONNAIRE.

1. Où habitaient la grand'mère et Cécile? 2. Qu'est-ce qui se trouvait du côté est de la maison? 3. Décrivez le hameau. 4. Qui en est le gardien? 5. Qu'est-ce qui se trouve dans les environs? 6. Qui est Mme de Veyres? 7. Quelle est la différence entre Ploye et la maison de la grand'mère? 8. Décrivez la route à Ploye. 9. Qu'est-ce que la grand'mère regrette d'avoir dit à Cécile? 10. Reproduisez leur conversation. 11. Qu'ont-elles vu dans le village? 12. Pourquoi Cécile s'intéressait-elle tant à l'Étang Noir? 13. Pourquoi sont-elles descendues de la voiture à l'entrée du domaine? 14. Qu'est-ce qui a

effrayé Cécile à la porte du château? 15. Décrivez Rodolphe. 16.
Pourquoi Cécile a-t-elle consenti à rester avec Rodolphe? 17. Où se
trouvait Mme de Veyres? 18. Décrivez-la. 19. A-t-elle beaucoup
changé depuis sa jeunesse? 20. Où réside son charme? 21. Pourquoi
Pierre était-il revenu chez sa mère? 22. Aimait-il à travailler? 23.
Pourquoi Mme de Veyres était-elle embarrassée pour son domaine?
24. Qui est entré dans le salon? 25. Pourquoi Cécile aimait-elle les
deux frères? 26. Qu'est-ce que Pierre lui a donné? 27. Puis, qu'est-ce
que tout le monde a fait? 28. Décrivez Pierre. 29. Qu'est-ce qu'ils
ont entendu? 30. Qui est Berthe Lauranne? 31. Pourquoi a-t-elle plu
à la grand'mère? 32. Quelle impression a-t-elle eue d'elle? 33. Était-
elle belle? 34. Aimait-elle la Savoie? 35. Qu'a-t-elle dit du mariage?
36. Comment les deux frères lui ont-ils parlé? 37. Qui est venu les
interrompre? 38. Que voulait le berger? 39. Pourquoi Rodolphe a-t-il
rougi en sortant? 40. De quoi Pierre était-il fier? 41. La vache
qu'avait-elle? 42. Comment la grand'mère a-t-elle défendu Rodolphe?
43. Pourquoi n'y avait-il qu'une vache? 44. Pierre était-il ignorant des
usages de la ferme? 45. Qu'est-ce qui l'a mis en colère? 46. Pourquoi la grand'mère a-t-elle choisi ce moment pour partir? 47. Pourquoi n'est-elle pas partie? 48. Pourquoi Mme de Veyres a-t-elle invité
Berthe aussi? 49. Qu'est-ce que Rodolphe est sorti faire? 50. Pourquoi Cécile était-elle si heureuse? 51. Quelle chambre lui a-t-on
donnée? 52. Qu'a-t-il fallu faire afin de l'arranger pour elle? 53. De
quoi Mme de Veyres et son amie ont-elles causé jusqu'au dîner? 54.
Pourquoi celle-ci a-t-elle passé un moment pénible au dîner? 55. Comment Berthe a-t-elle agi avec Rodolphe à table? 56. Pourquoi Pierre
pouvait-il tenir tête à Berthe? 57. Quelles émotions a-t-elle soulevées
dans les deux frères? 58. Berthe a-t-elle couché au château cette
nuit-là? 59. La grand'mère qu'a-t-elle entendu de sa chambre? 60.
Quelle remarque blessante Pierre a-t-il faite à Rodolphe? 61. Quel en
a été le résultat? 62. Le lendemain, qu'est-ce que Mme de Veyres a
dit de Berthe et de ses deux fils? 63. Qu'en pensait la grand'mère?
64. Pierre qu'a-t-il apporté à Cécile à son départ? 65. A quoi pensait
la grand'mère en rentrant chez elle? 66. Pourquoi est-ce que ses vœux
allaient à Rodolphe? 67. Pourquoi était-elle impatiente avec son
amie?

Écrivez un résumé de l'après-midi passe chez Mme de Veyres.

THÈME.

One day Cécile and her grandmother went to pay Mme de Veyres
a visit at her chateau. The road which they took led them near the

black pool which Cécile wished to visit at once; but her grandmother told her it was too far. Soon they could make out the chateau through the trees, and at the entrance to the property they got out of their carriage and walked up to the door. Pierre, the youngest son of Mme de Veyres, had returned from his studies in Paris and was at the chateau, as well as Rodolphe, and the two brothers soon became friends with Cécile. While they were all taking tea and eating slices of bread and butter, Berthe Lauranne arrived in an auto and joined them in the drawing-room. It was evident that the two young men were in love with Berthe, for they visibly tried to please her and there was much rivalry between them. When the carriage arrived to take Cécile and her grandmother back home, Mme de Veyres persuaded them to pass the night at the chateau. At this idea Cécile leaped with joy and ran to help the maid set up a little bed in the lovely room which Mme de Veyres had given her. As the dinner had lasted a long time, Cécile went to sleep at the table and had to be carried to bed while it was still daylight. The grandmother heard steps under her window; it was the two brothers, who became engaged in a discussion which ended in a struggle, in which Rodolphe threw Pierre to the ground and then fled. The next day, on leaving, she did not see him, but Pierre brought Cécile the basket of cherries and the bouquet he had promised her.

CHAPTER III

QUESTIONNAIRE.

1. Pourquoi la grand'mère a-t-elle fait rentrer Cécile? 2. Qu'est-ce qui a interrompu leur lecture? 3. Pourquoi Berthe et Rodolphe sont-ils venus? 4. Quelle tournure avaient-ils? 5. Berthe qu'a-t-elle remarqué dans la chambre? 6. Pourquoi Rodolphe a-t-il parlé de l'étang noir? 7. Quelle histoire Berthe a-t-elle racontée? 8. Quel changement pouvait-on remarquer en Rodolphe? 9. La grand'mère qu'a-t-elle vu en rentrant dans la chambre? 10. Pourquoi a-t-elle éprouvé de la joie et du regret à cette vue? 11. Décrivez l'arrivée de Pierre. 12. Pourquoi était-il arrivé si tard? 13. Dans quel état était-il? 14. Aimait-il son frère en ce moment? 15. Comment Berthe a-t-elle calmé Pierre? 16. A-t-elle réussi? 17. Quelle idée la tapisserie de la chambre lui a-t-elle donnée? 18. Quel temps faisait-il à leur départ? 19. Où la grand'mère et Cécile sont-elles allées un jour? 20. Pourquoi Cécile a-t-elle agité son bouquet tout d'un coup? 21. Pourquoi les trois jeunes gens étaient-ils sortis ce jour-là? 22. Qu'est-ce qu'une rookery? 23.

Qu'a-t-on fait des chevaux? 24. Les cinq personnes où sont-elles bientôt arrivées? 25. Comment sont arrivés les corbeaux? 26. Y en avait-il beaucoup? 27. Ont-ils fait beaucoup de bruit? 28. Sont-ils restés longtemps? 29. Rodolphe et Berthe qu'en ont-ils dit? 30. Pourquoi Pierre a-t-il quitté les autres? 31. Pourquoi voulait-il donner le corbeau à Cécile? 32. Comment a-t-il donné à manger au corbeau? 33. Pourquoi la grand'mère a-t-elle entraîné Cécile? 34. Quel effet cette scène a-t-elle eu sur Cécile? 35. Quelle dernière vision la grand'mère garde-t-elle de Rodolphe?

Écrivez un thème sur la cruauté de Pierre envers le corbeau.

THÈME.

Several days later, while her grandmother was reading a story to Cécile, heavy clouds covered the horizon and suddenly a clap of thunder was heard. At the same moment Berthe and Rodolphe arrived on horseback to ask for shelter during the storm. Rodolphe seemed radiant and changed through the love which Berthe was evidently encouraging. Cécile, who had been terrified by the storm, soon forgot it while serving them tea; and a few minutes later Pierre arrived, soaked by the rain and in a violent anger. As he never was ready in time, the two others had gone on ahead in order not to lose a half hour waiting for him. His anger had contorted his face and his eyes had an expression of hatred which struck everybody.

The next time that Cécile and her grandmother met the young people was in the chestnut-woods where they had gone to pick daisies. Cécile ran to meet them, and as they had already dismounted, Pierre sat her upon his horse. They were looking for the rookery and, leaving their horses with a little shepherd who took charge of them, they watched the crows which were alighting on the bank of a rivulet. Suddenly Pierre picked up one which had a broken leg and showed it to Cécile. He wanted to give it to her, but she cried out from fright and backed away. Then he showed his cruelty by feeding it dirt, and choked it. The grandmother, who knew that he was malicious, was not surprised at this but Cécile said that she did not like Pierre any more. This afternoon was the last time that they saw Rodolphe.

CHAPTER IV

QUESTIONNAIRE.

1. Quel temps faisait-il le 20 juin? 2. Que faisait tout le monde? 3. Que voulait faire Cécile? 4. La grand'mère qu'a-t-elle préparé pour

la promenade? 5. Quelle condition y a-t-elle mise? 6. Que faisait Cécile en route? 7. Pourquoi la grand'mère a-t-elle appelé Cécile à l'entrée du bois? 8. Qu'est-ce que Cécile pensait voir? 9. Décrivez l'étang. 10. Pourquoi Cécile voulait-elle aller de l'autre côté? 11. Où est-ce que le sentier les a conduites? 12. Qu'ont-elles vu dans l'eau? 13. De quoi Cécile s'est-elle souvenue? 14. Pourquoi ne voulait-elle pas goûter? 15. La grand'mère qu'a-t-elle fait? 16. Y avait-il beaucoup de bruit? 17. La grand'mère a-t-elle dormi longtemps? 18. Que faisait Cécile? 19. Comment est-elle arrivée auprès de sa grand'mère? 20. Dans quel état se trouvait-elle? 21. Qu'a-t-elle enfin réussi à dire? 22. Qu'a-t-elle encore vu en descendant à l'étang? 23. Pourquoi ne pouvaient-elles pas porter de secours? 24. Où sont-elles allées chercher quelqu'un? 25. Qu'est-ce que la grand'mère a dit à François? 26. Pourquoi leur fallait-il attendre? 27. Comment ont-elles passé les deux heures? 28. Pourquoi Cécile inquiétait-elle sa grand'mère? 29. Pourquoi François est-il revenu seul? 30. Comment la grand'mère a-t-elle rassuré Cécile? 31. Comment sont-elles rentrées? 32. Comment Genroud a-t-il rassuré la grand'mère? 33. Comment s'est-elle expliqué ce que Cécile a cru voir? 34. Comment ont-elles passé la nuit? 35. Pourquoi la grand'mère a-t-elle fait la résolution de ne jamais reparler à Cécile de l'étang noir?

Décrivez l'étang noir et racontez ce que Cécile y a vu.

Thème.

One afternoon when it was very warm, Cécile and her grandmother went to the black pool. It took an hour and a half to reach it and Cécile's imagination had excited her very much, making her think she saw in the forest tigers and big lions, the memory of which she had kept from the Jungle Book. But the sight of the pool made her silent, and they went down cautiously to the edge of the water which was surrounded with reeds. The grandmother was very tired from the walk and, while Cécile was picking flowers, she fell asleep for a few moments. Suddenly Cécile cried out and rushed down upon her, with an expression of terror in her face. At last she was able to speak: Rodolphe was in the boat . . . Pierre pushed him into the water . . . *he* tried to climb out . . . Pierre struck his hands with the oar . . . let's go and get help. They found no one, not even in the hamlet where everybody was working in the fields. There was no longer any chance of saving Rodolphe and they found a carriage to go back home. Cécile passed a bad night, crying with terror, seeing bears in the woods, not wishing to drop the hand of her grandmother, but finally falling asleep.

CHAPTER V

QUESTIONNAIRE.

1. Quelle nouvelle Marie a-t-elle entendue à la messe? 2. Quelle impression cela a-t-il faite sur la grand'mère? 3. Quels doutes l'ont assaillie? 4. Quel changement y avait-il dans le caractère de Cécile? 5. La grand'mère où est-elle allée le dimanche suivant? 6. Qu'a-t-elle décidé de faire? 7. A-t-elle emmené Cécile avec elle? 8. Marie en était-elle contente? 9. Comment Mme de Veyres a-t-elle rassuré la grand'mère? 10. Comment celle-ci a-t-elle lu la carte? 11. Que disait la carte? 12. Qu'est-ce que Pierre est devenu? 13. Pourquoi Rodolphe ne se plaisait-il plus à Ploye? 14. Pourquoi Mme de Veyres a-t-elle fait servir du chocolat? 15. Comment la grand'mère est-elle rentrée chez elle? 16. Pourquoi rien n'était-il transpiré de ce qui est arrivé à l'étang? 17. Qu'est-ce que la grand'mère est allée faire un soir? 18. A quoi pensait-elle? 19. Qu'est-ce qui lui est resté de sa nuit d'insomnie? 20. Pourquoi n'est-elle pas allée rendre une nouvelle visite à son amie? 21. Qu'est-ce qui l'a un peu surprise?

THÈME.

When she returned from mass, Marie told me that Pierre had not returned to the chateau for two days. This news so impressed me that I could do nothing at all. I realized that I could not inform the authorities and I hoped that Genroud had not repeated what I had told him. Sunday afternoon, I went to Ploye to talk about the matter with my friend; but, on entering the drawing-room, she held out to me a card which she had just received from her son who was travelling in Switzerland. She was quite reassured by this, but *I* was still uneasy and, a little upset and having a bad headache, I returned home quickly. I could not help thinking of the pool and I should have liked to be sure that Rodolphe was not dead.

CHAPTER VI

QUESTIONNAIRE.

1. Comment Marie est-elle revenue du village? 2. Quelle nouvelle en a-t-elle rapportée? 3. Quel effet son bavardage a-t-il eu sur la grand'mère? 4. Pourquoi faisait-on des recherches en Suisse? 5. Qu'est-ce que la grand'mère a défendu à Marie de faire? 6. Pourquoi celle-là est-elle allée dans sa chambre? 7. Pourquoi pensait-elle que le

crime était possible? 8. Quels détails se rappelait-elle? 9. Comment s'expliquait-elle le départ de Pierre? 10. Pourquoi n'était-ce pas son affaire de discuter les circonstances du crime? 11. Quel était son devoir? 12. Pourquoi ne voulait-elle pas qu'on tourmente Cécile? 13. Quelle autre raison a-t-elle trouvée pour ne rien faire? 14. Quelle idée a-t-elle eue tout d'un coup? 15. Sous quel prétexte pourrait-elle aller à l'étang? 16. Mais pourquoi vaudrait-il mieux raconter la vision de Cécile auparavant? 17. Pourquoi a-t-elle résolu de descendre en ville? 18. Pourquoi Marie s'est-elle mise en colère? 19. Pourquoi s'est-elle vite consolée? 20. Décrivez M. Cergues. 21. Comment a-t-il reçu la grand'mère? 22. Qu'a-t-il pensé de son récit? 23. Pourquoi la question de rivalité n'avait-elle pas d'importance? 24. Quelle était l'importance de la carte de Lausanne? 25. Où est la difficulté pour la justice dans le témoignage d'un enfant? 26. Quel exemple M. Cergues en a-t-il donné? 27. Quel conseil a-t-il enfin donné à la grand'mère? 28. Qu'est-ce qu'elle trouvait étrange dans l'affaire? 29. Que voulait faire M. Cergues le lendemain? 30. Pourquoi la grand'mère était-elle froissée? 31. Cécile était-elle à son aise dans le cabinet de l'avocat? 32. Qu'a-t-elle fait à la première question? 33. Comment sa grand'mère a-t-elle essayé de la calmer? 34. Quelles questions l'avocat lui a-t-il posées? 35. Comment y a-t-elle répondu? 36. Pourquoi n'a-t-il pas mieux réussi? 37. Comment la grand'mère l'a-t-elle questionnée? 38. Qu'est-ce qui l'a fait éclater en sanglots? 39. Quelle idée l'avocat a-t-il tirée de cette scène? 40. Quelle valeur pouvait-on donner à ce témoignage de Cécile? 41. Pourquoi le grand'mère a-t-elle remercié l'avocat? 42. Pourquoi se sentait-elle soulagée? 43. Quelles histoires Cécile avait-elle racontées la veille?

Écrivez un résumé de la scène dans le cabinet de l'avocat.

THÈME.

In the month of September it was known that no one had seen Rodolphe in Switzerland and they were still without news from him. This time, I resolved to put an end to my doubts and to place the testimony of Cécile in the hands of a judge, in order that he might draw his conclusions. But I was afraid for her, since she was so nervous, and the testimony of a child of five years was not worth much. Nevertheless I took all my household to town, where I told my story to M. Cergues. The next day he questioned Cécile, but she became nervous right away because he did not know how to inspire confidence in her, and he was not able to get anything out of her. I tried myself, but I did not succeed any better than he, and I returned home relieved and convinced that she had taken her imagination for the reality. This time I thought that the adventure was certainly over.

CHAPTER VII

QUESTIONNAIRE.

1. Pourquoi la grand'mère ne voulait-elle pas aller rendre visite à Mme de Veyres? 2. Pourquoi a-t-elle changé d'idée? 3. Qui a-t-elle trouvé au château? 4. De quoi a-t-on parlé? 5. Quelle question de la grand'mère a déplu à Mlle Lauranne? 6. Qu'est-ce que la grand'mère ne pouvait s'empêcher de penser? 7. Que faisait Pierre pendant ce temps? 8. Qu'est-ce qui continuait à obséder la grand'mère? 9. De quoi avait-elle la certitude? 10. Pourquoi? 11. Où trouve-t-elle qu'elle a eu tort? 12. Qu'a-t-elle fait pour dissiper ses doutes? 13. Quel prétexte a-t-elle donné? 14. Quelle excuse a-t-elle donnée pour aller jusqu'à l'étang? 15. Que voulait-elle voir? 16. Pourquoi voulait-elle que le jeune homme passe avant? 17. En quel état est-elle arrivée à l'étang? 18. Pourquoi écoutait-elle avec terreur? 19. Quel aspect avait l'étang? 20. Qu'a-t-elle fait faire au jeune homme? 21 Qu'espérait-elle? 22. Décrivez l'étang sous la lumière d'automne.

Écrivez un thème sur la visite de la grand'mère chez Mme de Veyres et ses impressions de Mlle Lauranne.

THÈME.

One day Mme de Veyres sent her carriage for the grandmother, who found Berthe at the chateau. The grandmother wished to suggest to them the idea of an accident, but they brushed this aside, for search was still being made for Rodolphe in Switzerland. In vain did the grandmother abide by what the lawyer had told her, but when she remembered the expression of distress on the face of Cécile at the pool, she was certain that her vision was real. So, one day, on the pretext of examining a woods which there was some question of selling, she succeeded in dragging the farmer's son as far as the pool. She did not find what she feared and hoped to find and again she went back home, sad and discouraged.

CHAPTER VIII

QUESTIONNAIRE.

1. Pourquoi la grand'mère était-elle contente de rentrer à la ville? 2. Qu'y a-t-elle appris? 3. Pourquoi n'a-t-elle pas envoyé Cécile à

l'école? 4. Comment sa cuisinière a-t-elle reçu cette nouvelle? 5. Comment s'est-elle exprimée là-dessus? 6. Comment est-elle sortie? 7. Cécile, ne voulait-elle pas aller à l'école? 8. Quelles précautions la grand'mère a-t-elle prises tout l'hiver? 9. Quel temps faisait-il un jour? 10. Que faisait Cécile? 11. Marie qu'a-t-elle apporté? 12. Pourquoi la grand'mère n'a-t-elle pas ouvert sa lettre tout de suite? 13. Pourquoi était-elle tourmentée en la lisant? 14. Quelle explication y avait-il dans la lettre de Mme de Veyres? 15. En quel état d'esprit s'est-elle rendue chez le procureur? 16. Qu'avait-elle décidé? 17. Comment était le magistrat? 18. Que lui a-t-il demandé? 19. Pourquoi se souvenait-elle si bien de la carte? 20. Qu'est-ce qu'il a dit de moqueur? 21. A quel moment a-t-elle posé une question qui l'a fait trembler? 22. Le magistrat comment a-t-il reçu la question? 23. Deux jours plus tard de quoi s'est-elle assurée? Pourquoi? 24. Pourquoi était-elle navrée par ce qu'elle a appris chez Mme de Veyres? 25. Quel effet le voyage en Suisse a-t-il eu sur Pierre? 26. Pourquoi était-il allé à Ploye? 27. A quoi pensait la grand'mère une fois rentrée chez elle? 28. Quelle nouvelle secousse a-t-elle eue un jour? 29. Pourquoi a-t-elle donné des sous à Cécile? 30. Avec qui causait Pierre? 31. Que disait ce vieillard? 32. En entendant ceci, qu'a fait la grand'mère? 33. Comment a-t-elle expliqué le regard de Pierre? 34. Pourquoi aurait-elle préféré ne pas rencontrer le vieil avocat? 35. Qu'avait-il fait après la visite de Cécile et de sa grand'mère dans son cabinet? 36. Pourquoi n'avait-on rien trouvé dans l'étang? 37. Pourquoi a-t-il raconté tout cela à la grand'mère? 38. Comment s'expliquait maintenant la conversation qu'elle avait entendue à la gare? 39. Qu'est-ce qu'elle avait trouvé de curieux dans la conduite de Cécile? 40. Comment celle-ci a-t-elle reçu le juge? 41. Pourquoi était-il monté? 42. Qu'avait-il copié? 43. Qu'est-ce que c'est que la Mythomanie? 44. Pourquoi l'enfant est-il intéressant à étudier? 45. Que voit-on parfois dans les drames de famille? 46. De quelle valeur est le témoignage de l'enfant? 47. Pourquoi ment-il? 48. Pourquoi la grand'mère était-elle reconnaissante au vieillard? 49. Que lui a-t-il fait lire encore? 50. Comment a-t-il expliqué la disparition de Rodolphe? 51. Quel bien la grand'mère a-t-elle tiré de sa visite?

Écrivez un thème sur la visite de la grand'mère chez le juge d'instruction; aussi sur ce qu'elle a vu et entendu à la gare.

THÈME.

As the grandmother always passed the winter in town, she did not send Cécile to school in order that she might not hear the disappearance of Rodolphe talked about. One day she received a letter which concerned him. It was from the judge, who wished to question her about what was written on the card from Lausanne which had been mislaid. The judge did not suspect that he might have been able to learn more from her by asking her questions about the affair. One evening she saw Pierre at the station and, while Cécile went to the book-stall to buy some pictures, she listened to his conversation with an inspector of woods and forests, who asked him why he did not make any investigations in this region since his brother was always going up hill and down dale. The glance of Pierre who looked at her without seeing her left her a strange impression which, however, was calmed by the visit of the old lawyer whom she had already consulted and who advised her again to think no longer of this adventure. He read to her two extracts from a book on medical jurisprudence which spoke of the testimony of children, the reading of which helped the grandmother and left her mind at peace.

CHAPTER IX

QUESTIONNAIRE.

1. La grand'mère qu'a-t-elle senti en retournant à la campagne? 2. Qu'a-t-elle fait pour se distraire? 3. Qu'est-ce que Mme de Veyres lui a écrit un jour? 4. Pourquoi est-elle allée seule? 5. Décrivez sa promenade. 6. En arrivant à Ploye qu'est-ce qui l'a surprise? 7. Pourquoi a-t-elle monté lentement l'escalier? 8. Décrivez son amie. 9. Pourquoi était-elle si changée? 10. Quel bonheur trouvait-elle encore dans la vie? 11. A quoi pensait la grand'mère en voyant Mlle Lauranne? 12. Qui a-t-elle encore rencontré dans le salon? 13. Que faisait Pierre? 14. Comment a-t-il reçu la grand'mère? 15. De quoi a-t-il parlé? 16. Pourquoi Berthe a-t-elle parlé de Cécile? 17. Que voulait-elle faire? 18. Qu'est-ce qu'il y avait dans l'attitude de Pierre qui a bouleversé la grand'mère? 19. Qu'a-t-il proposé? 20. Pourquoi la grand'mère ne voyait-elle pas ce qui se passait autour d'elle? 21. Quel désir fou a-t-elle eu? 22. Pourquoi pensait-elle qu'elle était folle? 23. En partant, qu'est-ce que Berthe lui a dit? 24. Pourquoi Mme de Veyres ne voulait-elle plus sortir? 25. Mme Lauranne connaissait-elle Cécile? 26. Pierre qu'a-t-il promis de faire? 27. Comment la grand'mère a-t-elle pris son depart?

Thème.

The following summer in the country, in order to amuse Cécile, several times her grandmother invited some little girls to come and play with her and thus slightly freed herself from her fixed idea. One day she was invited to go to the chateau of Ploye, and for fear lest Cécile should hear the disappearance of Rodolphe talked about, she went alone. Fortunately the drawing-room was full of people and she was better able to conceal her uneasiness.) In a low tone, Pierre thanked her for the interest she had manifested in his great sorrow and in talking with her he was calm and quite master of his emotions. Then Berthe said she would like to visit her house and her beautiful chestnut trees, and Berthe's mother seconded her promise of a visit. Pierre asked whether Cécile still liked flowers and promised to bring her some, but the idea that he would come too so distracted the grandmother that she left the house as though she were taking flight.

CHAPTER X

Questionnaire.

1. Pourquoi la grand'mère n'aimait-elle pas l'idée de la visite des Lauranne? 2. Quelles questions se posait-elle? 3. Cécile était-elle toujours petite? Décrivez-la. 4. Qu'est-ce que la grand'mère souhaitait presque? 5. Pourquoi Cécile a-t-elle sauté de joie un jour? 6. Comment les Lauranne sont-ils descendus de l'auto? 7. Cécile les a-t-elle salués? 8. Sont-ils entrés dans la maison? 9. Berthe qu'avait-elle vu en arrivant? 10. Comment parlait tout le monde? 11. Quelle comparaison la grand'mère a-t-elle faite? 12. Comment paraissait Pierre? 13. Berthe qu'a-t-elle remarqué? 14. Pourquoi elle et Pierre ont-ils quitté la compagnie? 15. Où sont-ils allés? 16. Berthe que voulait-elle savoir? 17. Pourquoi la grand'mère n'a-t-elle pu parler? 18. Qu'a-t-elle compris? 19. Comment Cécile est-elle arrivée? 20. Quelles questions M. Lauranne lui a-t-il posées? 21. Où la grand'mère l'a-t-elle envoyée? 22. Qu'a-t-elle entendu tout d'un coup? 23. Qu'est-ce que Berthe et Pierre essayient de faire? 24. Qu'est-ce que la grand'mère avait compris au cri de Cécile? 25. Décrivez la scène de la poursuite de Cécile. 26. Comment a-t-elle reçu les deux jeunes gens? 27. Comment a-t-on essayé de la calmer? 28. Quel effet la dernière question de la grand'mère a-t-elle eu sur Cécile? 29. Comment Mme Lauranne a-t-elle tâché d'expliquer la conduite de Cécile? 30. Pourquoi la grand'mère était-elle contente du départ de ses hôtes?

31. A-t-elle grondé Cécile? 32. Le lendemain comment l'a-t-elle questionée? 33. Comment Cécile a-t-elle expliqué à sa grand'mère son refus de répondre chez l'avocat? 34. Pourquoi celle-ci était-elle de nouveau angoissée? 35. Quelle idée a-t-elle enfin eue? 36. A quoi s'exerçait-elle? 37. Qu'a-t-elle pensé de son plan?

Faites un résumé de la scène de la poursuite de Cécile par Pierre et Berthe.

THÈME.

The prospect of the visit of Pierre and Berthe so distracted the grandmother that she wondered uneasily what was going to take place when Cécile would see them. When Cécile heard the auto arriving she leaped for joy, but when the visitors had gotten out of it she had disappeared. Everybody sat down under the trees, and while they were talking, Pierre and Berthe went to look for Cécile. Suddenly cries were heard; it was the two young people who had just discovered her and were running to meet her. They were about to overtake her when all at once she faced about towards them and cried out: "Go away! I detest you!"—so much so that her grandmother had to take her off into the house until her visitors left. As a result of this incident an idea came to the grandmother. For several days she practised disguising her hand-writing and finally she wrote without signature a few words addressed to Pierre: "Someone saw you at the black pool on June 20th, 1913." She, herself, put her letter into the post-office and then she waited.

CHAPTER XI

QUESTIONNAIRE.

1. Qu'est-ce qui a commencé au mois d'août, 1914? 2. Quelles privations a-t-on souffertes pendant les premiers jours de la guerre dans le petit hameau? 3. Quel effet la guerre a-t-elle eu sur la grand'mère? 4. Pierre qu'avait-il fait? 5. En pensant à Rodolphe, qu'est-ce que la grand'mère espérait? 6. Que faisaient les trois femmes un jour? 7. Qu'est-ce qui les a fait tressaillir? 8. Pourquoi Berthe est-elle venue à pied? 9. Pourquoi n'était-elle pas à Paris? 10. Comment était-elle habillée? 11. Où est-elle allée avec la grand'mère? 12. Quelles nouvelles a-t-elle apportées de Pierre? 13. Où se battait-il? 14. Pourquoi la grand'mère a-t-elle pensé à l'étang noir? 15. Pourquoi voulait-elle rentrer à la maison? 16. Pourquoi ne sont-elles pas entrées? 17. Pourquoi Berthe a-t-elle questionné la grand'mère? 18. Quelle supposition la grand'mère a-t-elle donnée à Berthe pour expliquer

la disparition de Rodolphe? 19. Pourquoi Berthe l'a-t-elle trouvée invraisemblable? 20. Pourquoi cela a-t-il découragé la grand'mère? 21. Qu'est-ce qui s'est passé à la dernière entrevue entre Berthe et Rodolphe? 22. Pourquoi Berthe avait-elle voulu causer avec la grand'mère? 23. Qu'est-ce que celle-ci a dit à Berthe sur la responsabilité de tous les personnages du drame? 24. Pourquoi n'a-t-elle pas mieux décrit Berthe dans son histoire? 25. Quelle partie du jour était-ce? 26. Quelle vision est passée devant les yeux de la grand'mère? 27. Cécile qu'a-t-elle remarqué en la voyant? 28. Qu'est-ce qui est arrivé en octobre? 29. Comment la grand'mère a-t-elle trouvé l'église le dernier dimanche du mois? 30. Pourquoi les habitants de Ploye n'assistaient-ils pas à la messe? 31. Quelles pensées ont donné à la grand'mère quelque apaisement? 32. Pourquoi se sentait-elle soulagée? 33. En rentrant où a-t-elle trouvé Cécile et Rosine? 34. Que faisaient-elles? 35. Pourquoi Cécile ne voulait-elle pas prier pour Pierre? 36. A quoi pensait la grand'mère le lendemain en allant à Ploye? 37. Pourquoi ne pouvait-elle pas jouir de la paix de l'automne? 38. Comment son amie l'a-t-elle reçue? 39. Que savait-elle de la mort de Pierre? 40. Quelle curieuse histoire a-t-elle racontée? 41. Quel changement d'idée Pierre avait-il eu tout d'un coup? 42. Quel effet cette histoire a-t-elle eu sur la grand'mère? 43. Avec quelle certitude est-elle rentrée chez elle.

THÈME.

War began in the month of August. Pierre joined his regiment and the grandmother had hopes that now Rodolphe would reappear to defend his country. One day that the three women were picking up chestnuts, Berthe came on foot bringing news about Pierre, who was fighting on the front. All of a sudden she made up her mind, and asked the grandmother whether she did not know something regarding Rodolphe's disappearance, because, before leaving, he had promised her that they would soon announce their engagement. A short while afterwards Pierre was killed and the grandmother finally found out the fate of her little letter. Mme de Veyres informed her that Pierre had instructed her to ask for Berthe's hand for him and then suddenly said that he no longer wished to marry and that he was going to leave for Canada. This bit of news, which was mysterious for her friend, carried away, however, her last doubts about what Cécile had seen at the black pool.

VOCABULARY

From this vocabulary are omitted the articles, numerals, most pronouns and many words which are alike or nearly alike in both spelling and meaning in French and English.

A

à to, at, in, on, by, with, of, from, enough, sufficient; — **toi** it is your turn; — **lui de** it is his duty to

abaisser to lower

abasourdir to stun

abeille *f.* bee

aboi *m.* bark; **aux —s** at bay, driven to despair

abondance *f.* abundance

abord *m.* approach; **au premier** — at first view; **tout d'**— at first

aborder to approach

aboutir to end, lead to a result

abri *m.* shelter; **à l'**— **de** under cover, protected from

abriter to shelter, screen

absolu absolute

absorber to absorb, engross

accéder to have access, come

accentuer to accentuate, emphasize

accepter to accept, consent to

accès *m.* attack

accompagner to accompany

accomplir to accomplish, perform

accorder to give, make

accouder (s') to lean on one's elbow

accoutumé accustomed

accroupi squatting, crouching

accumuler to heap up, store up

accuser to accuse

acéré sharp, keen

acharnement *m.* animosity, savageness

acheter to buy

achever to finish, complete; **s'**— to end

acier *m.* steel

acquiescer to assent

acte *m.* act, action

activité *f.* activity

admettre to admit

admiratif of admiration

admirer to admire

adopter to adopt

adorer to be exceedingly fond of

adosser to place or build against

adresse *f.:* **à l'**— **de** intended for

adresser to send, make; **s'**— to speak

advenir to happen; **advienne que pourra** come what may

affaire *f.* matter, business, concern, lawsuit; **être l'**— **de** to suit

affectionner to love, like

affectueusement affectionately

affectueux affectionate, kind

affirmer to assert

affoler to madden, distract; **s'**— to act as though crazy, be very distracted

affranchir to free

affreux frightful, terrible
afin de in order to
agacer to annoy
âgé old
agenouillé kneeling
agir to act; **s'— de** to be a question of
agité in agitation, restless
agiter to shake, wave; **s'—** to stir about, toss about
agneau *m.* lamb
agonie *f.* agony, death-struggle
agriculteur *m.* farmer
agripper (s') to cling to
ahuri confused
aide *f.* help
aider to help
aigu sharp, shrill
aiguille *f.* needle
aile *f.* wing
ailleurs elsewhere; **d'—** besides; **par —** in another way, through another channel
aimable amiable, kind
aimablement amiably
aimer to love
aîné elder brother, eldest
ainsi thus; **— que** as; **— de suite** and so on
air *m.:* **grand —** open air
ajouter to add
alentours *m.* neighborhood
alimenter to feed
allée *f.* walk, path; **—s et venues** running about
allègrement cheerfully, briskly
allemand German
aller *m.* going
aller to go; **allons!** come; **allons donc!** nonsense; **il va bien** he is well; **s'en —** to go away
allongé long, drawn out
allonger to lengthen; **s'—** to stretch out
allumer to light

allusion *f.:* **faire — à** to allude to
alors then, therefore, and so; **— que** when, now that
alpin Alpine
amasser (s') to collect
amazone *f.* lady on horseback; riding-habit
âme *f.* soul
améliorer (s') to improve
amener to bring
ami *m.* friend
amical friendly
amitié *f.* friendship
amour *m.* love; Cupid
amoureux in love
ample full, large; **faire plus — connaissance** to get better acquainted
amuser to amuse; **s'—** to enjoy oneself, play, laugh at, be amused
an *m.* year
analogue similar
analyse *f.* analysis
ancien old
âne *m.* donkey
angoisse *f.* anguish, anxiety
angoisser to distress
animer (s') to become animated
Anjou *province of France*
année *f.* year
annihiler (s') to cease to be
annoncer to announce, tell
antérieur previous
anxiété *f.* anxiety
août *m.* August
apaisement *m.* appeasement, calm
apercevoir to see; **s'—** to see
apparaître to appear
appareil *m.* pomp, solemnity
appartenir to belong
appel *m.* call, appeal
appeler to call; **s'—** to be called *or* named

appesantir (s') to lie heavy
appétit *m.* appetite
applaudir (s') to congratulate oneself
appliqué applied
apporter to bring
appréhender to dread
apprendre to learn, teach, tell, apprise
approcher (s') to approach
approuver to approve
appui *m.* support, sill
appuyer to support, lean, rest, second; **s'—** to lean
après after, afterwards
après-midi *f.* afternoon
âpreté *f.* harshness, acidity, asperity
aquilin Roman
arbre *m.* tree
arbuste *m.* small shrub
ardent earnest, bright
ardeur *f.* earnestness
argent *m.* silver, money
arracher to tear out, take away
arranger to arrange; **s'—** to come *or* turn out all right
arrêt *m.* stopping
arrêter to stop, hinder, arrest, engage, resolve, decide; **s'—** to stop
arrière, en — behind, at the back
arrière-pensée *f.* mental reservation
arrière-petits-enfants *m. pl.* great-grandchildren
arriver to arrive, come, attain, occur, manage, succeed; **en — à** to come to the point of
articuler to utter
aspirer to inhale
assaillir to beset
assemblée *f.* assembly
asseoir (s') to sit down
assez rather

assister to attend, be present
assombrir to darken; **s'—** to be darkened
assourdir to muffle
assujettir to make steady
assurer to assure, affirm; **s'— to** make sure of
astreindre to force
atroce atrocious
attacher to tie, give
attardé lingering
attarder (s') to be out late, linger
atteindre to reach
atteler to harness
attendant: en — in the meantime, till then
attendre to wait for, wait, expect; **s'—** to expect
attentat *m.* crime; **— à la pudeur** offense *or* crime against public morals
attente *f.* waiting
attentif attentive, mindful
attention *f.* notice; **prêter —** to pay attention
attester to certify
attirer to attract
aubaine *f.* windfall, good fortune
aucun any, no
audacieux bold
augumenter (s') to increase
aujourd'hui to-day
auparavant before
auprès de in comparison, from
auréoler to surround with a halo
aussi also, too, so, as, as much
aussitôt immediately
autant as much, so much
auteur *m.* author
automate *m.* automaton
automne *m.* autumn
autorité *f.* authority; **faire —** to be an authority
autour around, about
autre other, else, another, last

autrefois formerly; **d'—** of former times

autrui *m.* others

avance *f.* lead, advance; **d'—** in advance, beforehand

avancer to advance; **s'—** to come forward

avant *adv.,* **— que** *conj.,* **— de** *prep.* before; **en —** forward

avant-hier *m.* the day before yesterday

avec with

avenir *m.* future

aventure *f.* adventure

aventurer (s') to venture

aveugler to blind

avis *m.* opinion, advice; **à mon —** in my opinion

avocat *m.* lawyer

avoir to have; **qu'avait-il?** what was the matter with him? **il y a** there is, ago

avouer to confess

B

baguette *f.* stick

bah pshaw! nonsense!

baisser to lower, decline, decrease

balancer (se) to swing, sway

balayer to sweep away

balbutier to stammer

balotter to toss, shake, agitate

banc *m.* pew, bench

bande *f.* flock

barque *f.* boat

barre *f.* bar

barrer to bar, cross

barrière *f.* barrier

bas low, lowered

bas *m.* bottom; **là- —** over there, yonder; **tout —** softly, in whisper

base *f.* basis, foundation

bataille *f.* battle

bâtiment *m.* building

bâton *m.* stick

battre to beat, defeat, subdue, clap; **se —** to fight

bavardage *m.,* prattle, gossip

beau fine, beautiful, handsome, nice; **avoir —** *with infinitive* in vain

beaucoup much, many, a great deal

beauté *f.,* beauty; **de toute —** extremely beautiful

bec *m.* beak

bécasse *f.* simpleton

belliqueux warlike, martial

bénir to bless

bénit consecrated, holy

bercer to rock, lull, delude

berger *m.* shepherd

bergère *f.* shepherdess

besoin *m.* need; **avoir — de** to need

bête *f.* animal

bibliotheque *f.* book-case

bien well, exactly, surely, really, indeed, many, very, good-looking; **bien que** although; *m.* good; **faire du —** to do good

bienfaisant kindly

bientôt soon, nearly

bienveillance *f.* kindliness, benevolence

bienvenu *f.* welcome

bijou *m.* jewel, darling

blanc white; *m.* white

blé *m.* wheat

bleu blue

bleuâtre bluish

blond fair, light, flaxen

blottir (se) to crouch, cuddle, hide

bois *m.* wood, forest; **sous —** in the woods

boisé woody, wooded

boîte *f.* box
bon good; **à quoi —?** what is the use of?
bondir to leap, jump
bonheur *m.* happiness
bonjour *m.* good day
bonne *f.* maid-servant
bonté *f.*, kindness
bord *m.* edge
border to border
bouche *f.* mouth, lips
boucle *f.* curl, lock
boue *f.* mud
bouger to stir
bougonner to grumble
boulverser to upset, agitate, convulse
bourdonner to hum, buzz
bourrer to stuff
bout *m.* end; **à — de forces** exhausted
branle *m.* motion; **mettre en — la police** to put the police on this case
bras *m.* arm
brave honest, good, worthy
breton of Brittany (*a province of France*)
bribe *f.* bit
brièvement briefly
brigadier *m.* corporal of cavalry
brillant brilliant
briller to shine
brise *f.* breeze
briser to break
broder to embroider
brosse *f.* brush
bruissant buzzing
bruit *m.* noise, rumor, sensation
brûlant hot
brûle-pourpoint (à) point-blank
brûler to burn, consume
brun brown, dark
brusque sudden, abrupt

brusquement suddenly
brusquerie *f.* blunt manner, rudeness
bruyamment noisily
bruyant noisy
bruyère *f.* heath, heather
buisson *m.* bush
bureau *m.* desk
busqué arched
but *m.* goal, purpose

C

ça that
cabalistique mysterious
cabinet *m.* study, office
cacher to hide
cadavre *m.* dead body
cadet younger, younger brother
cadran *m.* sun-dial
cajoler to coax
calculer to estimate
calmer to calm
calvaire *m.* Calvary
camisole *f.* dressing-jacket
campagne *f.* country; **battre la —** to ramble, wander from the subject
canne *f.* cane
caoutchouc *m.* rubber, rain-coat
capital *m.* stock
caprice *m.* whim
capucine *f.* nasturtium
car for, because
caractère *m.* character
cardiaque affecting the heart
caresser to caress
carrière *f.* career
carriole *f.* van, trap
carte *f.* card
cas *m.* case; **en tout —** at all events
casanier stay-at-home, recluse
casier *m.* open case with divisions, rack

casser to break
castel *m.* castle
cauchemar *m.* nightmare
cause *f.:* à —de on account
of
causer to cause, talk
cavalier *m.* horseman, rider
céder to yield, give in, give
cendre *f.* ashes
centaine *f.* about a hundred
cependant still, however
cercler to encircle
cerise *f.* cherry
cerisier *m.* cherry-tree
certes most assuredly
certitude *f.* certainty; **avoir la**
— to be certain
cerveau *m.* brain
cesse *f.* ceasing; **sans —** con-
stantly
cesser to cease, stop
chacun each
chagrin *m.* sorrow
chaise *f.* chair
châle *m.* shawl
chaleur *f.* heat
chaleureusement warmly
chambre *f.* room
champ *m.* field
chance *f.* luck, hazard
changeant changing
changement *m.* change
changer to change; — **de** to
change one's . . .
chant *m.* song
chantant singing, musical
chanter to sing
chapeau *m.* hat
chapelet *m.* beads
chaque each
char *m.* car, chariot
chargé laden
charger to instruct; **se —** to burden oneself, promise to see to
charmant charming

chasseur *m.* light infantryman
châtaigne *f.* chestnut
châtaignier *m.* chestnut-tree
châtain chestnut color, brown
château castle
châtelaine *f.* lady of a manor
chaud warm, hot
chaussure *f.* shoes
chef *m.* head, chief
chemin *m.* road, path
chemise *f.* shirt; — **de nuit**
night-dress
chêne *m.* oak
cher dear, dearly
chercher to try, seek, look for;
— des **yeux** to look for; **aller**
— to go for; **envoyer** — to
send for
chéri beloved, darling
cheval *m.* horse
chevaucher to overlap
cheveu *m.* hair
chez in the house of, in; **de —**
moi round about my house
chic *m.* style
chien loup *m.* wolf-dog
chimère *f.* fancy, hobby
choc *m.* shock
choisir to choose
choix *m.* choice
choquer to shock
chose *f.* thing; **autre —** something else
chuchoter to whisper
ciel *m.* heaven, sky
cierge *m.* candle
cil *m.* eyelash
circonstance *f.* circumstance,
state of affairs
clair bright, light; *adv.* clearly,
well
clairvoyant clear-sighted, acute,
sharp
clapotage *m.* splashing, rippling
clapotis *m.* splashing, rippling

clarté *f.* clearness, light, transparency

classe *f.* **en —** in school

clignement *m.* wink

cloche *f.* bell

clocher *m.* steeple

clochette *f.* bell-flower

clore to close

clos closed

cœur *m.* heart; **de tout —** sincerely; **de tout son —** with all one's heart; **sans —** heartless, without sentiment *or* feeling; **mettre son — à vif** to lay bare his heart; **mon — se serra** my heart was seized with anguish, oppressed

coin *m.* corner

col *m.* collar, neck

colère *f.* anger, rage; **en —** into a passion; **se mettre en —** to get angry

colis *m.* package

coller to paste, mat

colline *f.* hill

colloque *m.* conversation, dialogue

combattre to fight

combien how much, how many, how

comédie *f.* comedy

commander to give orders

comme as, like, as if, as it were

commencer to begin

comment how, why; **— dire** how express it?

commettre to commit

commission *f.* errand

commode convenient

commun common, general, mutual

compagnie *f.* company; **tenir — à** to keep company with

compagnon *m.* companion, playmate

comparer to compare

complaisance *f.* kindness, accommodation

complètement completely

comploter to plot

comporter to be made up of, comprise

composer to form

comprendre to understand

compte *m.* account; **le prendre à mon —** to assume the responsibility for it; **se rendre —** to realize

compter to count

concentré concentrated

concerner to relate to

condamner to condemn

condescendance *f.* condescension

conduire to conduct, lead, take, direct, drive

conduite *f.* conduct

conférence *f.* lecture

confiance *f.* confidence, disclosure

confier to confide

confirmer to confirm

confiture *f.* jam

confondre to amaze, perplex; **se — ** to blend

congédier to dismiss

connaissance *f.* acquaintance; **faire — avec** to become acquainted with

connaître to know, be acquainted with

conquérir to win

conquête *f.* conquest; **faire sa —** to win her over

conscience *f.* scruple

conscient conscious

conseil *m.* advice, council

conseiller to advise

conseiller *m.* adviser, counsellor

consentir to consent

conséquence *f.*: **par —** consequently

consoler to console

constituer to constitute
consulaire consular
consulter to consult
conte *m.* story
contempler to contemplate, look
contenir to contain, restrain, curb
content contented
contenter to satisfy; **se —** to be satisfied
contention *f.* prolonged effort
contenu reserved
conter to relate a story
conteur *m.* story-teller
continuer to continue
contracter to contract
contraire contrary; **au —** on the contrary
contrairement contrary
contre against, at
contredire to contradict
contrefaire to disguise
contrôler to verify
convaincu convinced
convainquant convincing
convenir to be suited to, become
convocation *f.* summons
copier to copy
coquette *f.* flirt, coquette
coquetterie *f.* coquetry, affectation; **en — avec** flirting with
corbeau *m.* crow
cordialité *f.* cordiality
corps *m.* body
correction *f.* punishment
corriger to correct
corroborer to corroborate
côté *m.* side; **à —** not far off, beside; **de ce — -ci** this way; **de l'autre —** on the other side; **de son —** on her part; **du — de** towards
cou *m.* neck
couac *m.* caw, quack
couchant *m.* west

couche *f.* confinement, childbirth, layer
couché lying down, in bed
coucher to sleep; **se —** to lie down
coucher *m.* setting of the sun
couleur *f.* paint
coup *m.* blow, touch, clap of thunder; **— d'épingle** prick, sting; **— d'œil** glance; **— de soleil** sun-stroke; **tout à —** suddenly; **faire un mauvais —** to do a bad action, crime
coupable guilty, criminal
couper to cut, interrupt; **se —** to contradict oneself
cour *f.* court; **faire la — à** to court, make love to
courant flowing; *m.* stream, current; **mettre au —** to inform
courir to run, spread
courrier *m.* mail
cours *m.* course
course *f.* race, ride, course, career, walk, errand
court short
coussin *m.* cushion
coûter to cost; **coûte que coûte** cost what it may
coutume *f.* custom
coutumier customary, usual
couvrir to cover
craindre to fear
crainte *f.* fear; **de — que** for fear, lest
cramponner (se) to cling
craquer to crack
cravache *f.* riding-whip
crèche *f.* crib, manger; **étoile de la —** star of Bethlehem
crépuscule *m.* twilight
creuser to dig; **se —** to puzzle one's brains
cri *m.* cry, shout, scream

crier to cry, shout, proclaim
criminel *m.* criminal
crise *f.* crisis, fit
crisper to contract, irritate; **se —** to become irritated
croasser to caw
crochu hooked
croire to believe
croissant increasing
croître to grow
croyance *f.* belief
cruauté *f.* cruelty
cruel painful, disagreeable
cueillir to gather
cuisine *f.* kitchen
cuisinière *f.* cook
cuivre *m.* copper, copper-colored
curieux inquisitive
curiosité *f.* curiosity
cuvette *f.* basin

D

daigner to deign
dame *f.* lady
dangereux dangerous
dans in, into
date *f.* date; **de longue —** of old date, for a long time
dater to date
de of, from, with, by, at, to, than
débordement *m.* overflowing
déborder to overflow
debout standing, up
débrouiller (se) to get over difficulties, get along all right
début *m.* beginning
débutant *m.* beginner
décevoir to deceive, disappoint
décharger (se) to unburden oneself
déchiffrer to decipher
décidément decidedly

décider to decide
déclarer (se) to make known one's sentiments
décliner to give one's name
décocher to let fly
décoloré colorless
décontenancer to disconcert
décor *m.* decoration, scene
découper (se) to stand out
décourager to discourage
découvrir to uncover, discover, reveal
décrire to describe
dédaigner to scorn, disregard
dédaigneusement scornfully
dédaigneux disdainful
dedans inside, into it
défaut *m.* defect; **faire —** to be wanting
défendre to defend, forbid
défenseur *m.* defender
définir to define
définitif definitive, decided
déformer to deform, distort
dégagé unconcerned
dégénéré degenerate
dégoût *m.* disgust
dehors, en — outside
déjà already
déjeuner to lunch, breakfast; *m.* luncheon, breakfast
delà: au- — beyond
délabré ramshackle
délibéré easy, decided, bold
délicieux delicious, delightful
délire *m.* delirium
demain *m.* tomorrow
demande *f.* request
demander to ask, want; **se — to** wonder
démêler to unravel, clear up, make out, settle
demeurer to remain
demi half

demi-tour *m.* half turn; **faire —** to turn around

dénicher to find out

dénommer to name

dénoter to indicate

dentelé jagged

départ *m.* departure, start

dépasser to pass, go beyond, over-step, leave behind, excel

dépêche *f.* telegram

dépêcher (se) to hurry

dépendre to depend

dépens *m. pl.* expense

déplacement *m.* journey

déplacer (se) to leave one's home, move

déplaire to displease

déposer to set down, put, place, leave, testify

déposition *f.* testimony

dépouiller to strip

depuis since, from, for; **— que** since

député *m.* representative; member of Parliament

déraisonnable unreasonable

dérangement *m.* inconvenience

déranger to inconvenience, disturb, trouble

dernier last

derrière behind; **par —** from behind

dès no later than, from, since, on; **— que** as soon as

désarroi *m.* confusion

descendre to descend, go down, alight, take down

désert deserted, uninhabited

désespérer to drive to despair, distress

désespoir *m.* despair

désigner to point out

désir *m.* desire, wish

désirer to wish

désormais henceforth

dessus upon; **de —** off, from; **par —** besides, over and above

destin *m.* destiny, fate

destiné intended

détaché indifferent, disinterested

détacher to untie; **se —** to detach oneself, leave, stand out

détendre (se) to relax

détester to hate, dislike

détourner to turn aside

détresse *f.* distress

détruire to destroy

deux two; **à nous —** both of us; **tous —, tous les —** both

devant before, in front of, in the presence of, at, ahead

développer to develop

devenir to become

deviner to divine, guess, recognize; **le castel se devinait** the castle could be made out

devoir *m.* duty

devoir to owe, must, ought, have to, be obliged to, be to, be likely to

dévorer to devour

dévouement *m.* devotion, self-sacrifice

dieu *m.* God; **grâce à —** I am thankful to say; **mon —** good Heavens!

difficile difficult

diffus verbose

dilater to expand

dimanche *m.* Sunday

diminuer to decrease, shorten, grow small

dîner *m.* dinner

dîner to dine

dire to say, report; **ce n'est pas peu —** that is a great compliment

direction *f.* guidance

diriger (se) to direct one's course

discontinuer to interrupt
discours *m.* speech
discret discreet
discuter to discuss
disloquer (se) to break up, separate
disparaître to disappear
disparition *f.* disappearance
disperser (se) to scatter
disputer to quarrel
disséminer (se) to scatter
dissimuler to dissemble, conceal, pretend not to notice; **se —** to hide
dissiper to scatter
distinctement distinctly
distinguer to distinguish; **se —** to be conspicuous
distraire to divert, amuse; **se** to take some relaxation
divers different
docteur *m.* doctor
domaine *m.* domain, property
domestique *m.* servant
domicile *m.* residence
dominer to govern, overlook
dommage *m.:* **c'est —** it is a pity
dompter to subdue
don *m.* gift
donc then, therefore, so, now, accordingly
donner to give, give out
doré golden
dormir to sleep
dos *m.* back
dot *f* dowry
doublement doubly
doucement softly, gently
douer to gift
douleur *f.* sorrow
douloureusement painfully, sadly
doute *m.* doubt
douter to doubt; **se — de** to suspect

doux sweet, soft, mild, calm, delightful, easy-riding
drame *m.* drama
drap *m.* cloth
dresser to raise, prick up; **se —** to stand, start up
droit straight, right, directly; *m.* right, claim; **à -e** to the right
drôle droll, funny
drôlement comically
Dupré (Noël-Simon) *French doctor, born 1814*
dur hard, harsh, severe
durement harshly
dureté *f.* harshness, severity

E

eau *f.* water; **entre deux -x** under water; **-x et forêts** governmental department of woods and forests
ébattre (s') to play
ébouriffé tousled
ébranler to shake, unsettle
écarté remote, lonely
écarter to put aside, drive away, open, spread open; **s'—** to turn away, step *or* stand aside, separate
échapper to escape, get away, slip
éclabousser to splash
éclaircir (s') to become thin
éclairer to light up
éclat *m.* flash, fire, brilliancy, lustre
éclatant bright, magnificent
éclater (s') to break, burst, burst out; **— de rire** to burst out laughing
école *f.* school
Écosse *f.* Scotland
écouler (s') to slip away, elapse
écourter to cut short

écouter to listen, listen to
écrire to write
écriture *f.* handwriting
écrivain *m.* writer
écroulement *m.* downfall, ruin
écureuil *m.* squirrel
écurie *f.* stable
effacer to efface, obliterate
effet *m.* effect; **en —** in fact
efficace efficacious
effilé thin, fine
effondrer (s') to give way, sink
efforcer (s') to strive, try
effrayant frightful
effrayer to frighten
effroi *m.* fright, dread
effroyable frightful, dreadful
égard *m.:* **à l'— de** regarding
égarer to mislay
église *f.* church
élan *m.* start, impetuosity
élancé slender, slim
élancer (s') to rush on
élever (s') to arise
éloigné remote, distant
éloigner to send or drive away, keep at a distance; **s'—** to go away, go to a distance
emballé infatuated
embarrasser to trouble
embaumer to smell very sweet
embellir to beautify
embrasser to embrace, kiss
embrouille *f.* intricacy, obscurity
émerger to rise
emmener to take or lead away, take
emparer (s') to seize, take possession
empêcher to prevent, keep from; **s'—** to help, keep from
employer to employ
emporter to carry, carry away *or* off, take away *or* along

empressement *m.* eagerness
emprise *f.* spell
en in, like, as, on, while; **— moi-même** to myself
encadrer (s') to be framed
encastrer (s') to fit into a recess
enceinte *f.* enclosure, building
encercler to encircle
enchanter to delight
encombrer to obstruct, crowd
encore still, yet, again
encourager to encourage
encre *f.* ink
endormir (s') to fall asleep
endosmose *f.* a passing through (as of liquids passing through a membrane)
endroit *m.* place, spot
énergie *f.* energy, emphasis
énervement *m.* enervation
enfance *f.* childhood
enfant *m.* child
enfermer to shut up
enfin finally, in short, at last
enfoncer to sink, plunge, force in; **s'—** to hollow, sink, penetrate
enfouir to bury, hide
enfuir (s') to flee, run away
engager to begin, enter upon; **s'—** to begin, enter
engloutir to swallow up
enjoindre to order, bid
enlever to take away
enliser to sink in
ennui *m.* weariness, annoyance
ennuyer to annoy; **s'—** to grow weary, find it dull
enquête *f.* inquiry, inquest
enrouer (s') to get hoarse
enseigner to teach, show
ensemble together; *m.* mass, series
ensemencer to sow
ensoleillé sunny

ensuite afterwards, then
entendre to hear, understand; — **parler de** to hear of
entier entire, whole; **tout** — all
entonnoir *m.* funnel
entourage *m.* associates, attendants
entourer to surround
entrain *m.* animation, spirit
entraîner to drag away *or* along, to lead away *or* on, induce, excite, involve
entre between, with, in, together; — **eux** alone
entrée *f.* entrance, entry
entrer to enter, go *or* come in
entretien *m.* conversation
entrevoir to perceive
entrevue *f.* interview, meeting
entr'ouvert ajar
envahir to spread over, fill
envelopper to envelop, wrap
envie *f.* desire; **si l'— me prend** if I feel inclined to it
environs *m. pl.* neighborhood
envisager to consider
envoler (s') to fly away
envoyer to send
épais thick, large
épaissir (s') to grow stout
épancher (s') to open one's heart
épanoui cheerful
épanouir (s') to bloom, be radiant
épaule *f.* shoulder
éperdu dismayed, desperate
épingle *f.* pin
époque *f.* season
épouvantable frightful, dreadful
épouvante *f.* terror
épouvanter to frighten
éprendre (s') to fall in love
épreuve *f.* test
épris in love, charmed, fascinated
éprouver to feel, undergo

éreinter to tire out, exhaust
errer to wander
erreur *f.* mistake
escalier *m.* staircase
escorter to escort
espérance *f.* hope, inheritance
espérer to hope
espoir *m.* hope; **tendre mon — vers lui** to place my sole hope in him
esprit *m.* mind, wit
essai *m.* attempt, trial
essayer to try
essuyer to wipe
estimer to esteem
étage *m.* story, floor
étaler (s') to spread oneself out
étang *m.* pond, pool
état *m.* state
état-major *m.* staff
étayer to support
été *m.* summer
étendre to extend
étincelle *f.* spark, flash
étoile *f.* star
étonnamment astonishingly
étonnement *m.* astonishment
étonner to astonish
etouffer to suffocate, choke
étrange strange, odd
étrangement strangely
être to be; **y — pour beaucoup** to have a great deal to do with it, have a large share in; *m.* being
étreinte *f.* embrace
étroit narrow
étude *f.* study, school
étudier to study
évanouir (s') to faint
éveillé awakened, awake
événement *m.* event
éventualité *f.* possibility
évidemment evidently

éviter to avoid

évocatrice *f.* one who has the power to call up pictures and scenes before one's mind, as a novelist does in his writing

évoquer to evoke, call up

exactement exactly

exagérer to exaggerate

exalter to excite

examiner to inspect

excitation *f.* excitement

exciter to excite, animate, arouse

exclamer (s') to exclaim

excuser (s') to apologize

exemple *m.* example

exercer (s') to practise

exiger to demand

exister to exist

expédier to send

explication *f.* explanation

expliquer to explain

explorer to explore, search

exprimer to express

extase *f.* ecstasy

extasier (s') to be struck with admiration

exténuer to exhaust

extérioriser to externalize

extrait *m.* extract

extraordinaire extraordinary

extrêmement extremely

F

fabriquer to make up

fabulation *f.* imaginary tale

face *f.* face; **en —** in the presence, in front, opposite; **faire — à** to face about

fâché angry

fâcheux unfortunate

facile easy

facilité *f.* ease

façon *f.:* **sans —** unceremoniously, familiarly

factice factitious, artificial

faculté *f.* faculty

faible slight, small, little

faillir to be on the point of, nearly

faire to make, do, cause, have, give orders for, say, matter, arrange; **il fait chaud (jour)** it is warm (daylight); **se —** to be, become, begin, set in; **se — entendre** to be heard

fait *m.* fact; **par le — de** because of

faix *m.* burden, weight

falloir to be necessary, must, should, ought, require

familial family

famille *f.* family

faner to fade

fantasque fantastic

fardeau *m.* burden

fasciner to fascinate

fastidieux tedious

fatiguer to fatigue

faucher to mow

faucheur *m.* haymaker

faufiler (se) to slip through

faute *f.* fault

fauteuil *m.* arm-chair

faux false, untrue

favori favorite

fée *f.* fairy

féliciter to congratulate

femme *f.* woman; **— de chambre** maid

fenaison *f.* haymaking

fenêtre *f.* window

fer *m.* iron

ferme *f.* farm

fermé closed, stern, unyielding

fermer to shut, close

fermier *m.* farmer

feu *m.* fire; **coin de —** fireside

feuille *f.* sheet, leaf; **— de garde** fly-leaf (*of a book*)

feutre *m.* felt hat

fiançailles *f. pl.* engagement

fiancé *m.* betrothed

fidèle faithful, accurate

fier to trust

fier proud

fierté *f.* pride

fièvre *f.* fever

figer (se) to congeal

figure *f.* face

figurer (se) to imagine

fil *m.* thread, current

filer to run along, be off, run off, clear out, disappear

fille *f.* girl, daughter, servant; **petite- —** granddaughter

fillette *f.* little girl

fils *m.* son

fin *f.* end

fin fine, small, delicate

finir to finish, end; **— par** to end by, to . . . finally; **en —** to have done with, make an end of

fixe fixed

fixer to fix, settle, gaze upon

flairer to scent, suspect

flamme *f.* flame, light, brightness, glow

flaque *f.* puddle

flatter to flatter

fleur *f.* flower, bloom

fleuri blooming, in flower

flocon *m.* flake

flotter to float

flux *m.* flow

foin *m.* hay

fois *f.* time; **une —** once; **à la —** at the same time, at once

foncé dark

fonction *f.* function

fond *m.* bottom, farthest end *or* part, heart, background; **au —** in one's heart, in fact

fondre to melt, fall

force *f.* strength

forcé unnatural

forcer to force

forêt *f.* forest

formel express, positive

former to form, train

formidable terrible

formule *f.* formula

fort strong, hard, loud; *adv.* very much

fortifier to strengthen

fou mad, enormous

fouiller to search, rummage

fouillis *m.* confused mass

fourrure *f.* fur

fraîchement recently, newly

fraîcheur *f.* freshness, coolness

frais fresh, bright, blooming

frais *m. pl.* expenses; **faire des —, se mettre en — de gaieté** to make efforts to please; **faire des — de toilette** to give thought to one's appearance and clothes

franchir to go through, cross

frapper to strike, beat, knock

frayeur *f.* fright

frémir to quiver

frénétique furious

fréquemment frequently

frère *m.* brother

frileux chilly

frimousse *f.* face

frisé curled, curly

frisson *m.* shudder, thrill, emotion

frissonner to shiver

froid cold, grave, calm

froideur *f.* indifference

froisser to crumple, hurt, offend

froncer to wrinkle; **— le sourcil** to knit the brows, frown

front *m.* forehead

fugue *f.:* **faire une —** to run away, have a lark

fuir to flee, evade, desert

fuite *f.* flight

fureteur prying
fureur *f.* fury
furibond furious
furie *f.* (*Myth.*) Fury
furieux furious
fuser to fuse, expand, spread

G

gagner to reach, arrive at, gain
gai gay
gaieté *f.* gaiety (*see* **frais)**
gaiment gaily
gamine *f.* romp, little girl
gamme *f.* tone, scale
garantie *f.* guarantee, protection
garçon *m.* boy, fellow
garde *f.* guard
garder to keep, guard, protect, hold, have
gardien *m.* guardian, protector
gare *f.* station; **crier —** to give warning *or* notice
gascon of Gascony (*a province of France*)
gaspillage *m.* waste
gâteau *m.* cake
gauche left
gaule *f.* pole
gelé frozen
gendre *m.* son-in-law
gêne *f.:* **sans —** unceremoniously, freely
gêné uneasy, embarrassed
gêner to inconvenience, trouble, interfere with; **se —** to stand on ceremony
génie *m.* genius
genou *m.* knee
genre *m.* kind, manner, way
gens *m. f. pl.* people; **jeunes —** young men, young people
gentil nice
gentilhomme *m.* nobleman
gentiment nicely, prettily, gently

géomètre *m.* surveyor
geste *m.* gesture
gîte *m.* home
glace *f.* ice, mirror
glacer to freeze, chill
glauque green
glissant slippery
gloire *f.* glory, fame
goîtreux *m.* person with a goitre
gonfler (se) to swell
gorge *f.* throat
gouffre *m.* abyss
goût *m.* taste, liking
goûter to eat something, have tea; *m.* lunch
grâce *f.* charm, thanks (to); **mauvaise —** reluctance, lack of cordiality
gracieusement gracefully
gracieux gracious, graceful
grand great, large, big, tall, wide
grandeur *f.* dignity, grandeur; **du haut de sa —** superciliously, contemptuously
grandir to grow, grow up
grand'mère *f.* grandmother
grand'messe *f.* high mass
grange *f.* barn
grave serious
gravement seriously, solemnly
graver to engrave
gravir to climb
gré *m.:* **au — de** according to
greffier *m.* clerk
grenier *m.* attic, garret
grippe *f.* influenza
gris gray
grisâtre grayish
griser to intoxicate
grommeler to grumble
gronder to grumble, scold, rumble
gros big
groupe *m.* flock
grouper (se) to group, cluster
guère hardly, scarcely

guéri cured, recovered
guerre *f.* war
guetter to be on the watch for
gueule *f.* mouth, jaws
guider to guide, lead

H

' *means aspirate* **h**
habile clever
habileté *f.* skill
habitant *m.* inhabitant
habitation *f.* dwelling, house
habiter to inhabit, occupy
habitude *f.* habit, custom; **à son
— ** as usual, as was her custom;
d'— usually
habituel usual
habituer to accustom
'haché abrupt, irregular
'haie *f.* hedge
'haine *f.* hatred
'hâlé sun-burnt, tanned
'haletant panting
'halètement *m.* convulsive panting
halluciner to hallucinate
'hameau *m.* hamlet
'hangar *m.* shed
'hanter to haunt
'harasser to tire out
'hardi bold
'hargneux surly
harmonieux harmonious
'hasard *m.* chance, accident
'hâte *f.* haste; **à la —, en —** in
haste
'hâter (se) to hasten
'hâtivement hastily
'haut high; *m.* height, eminence;
là-haut up there
'hauteur *f.:* **à la — de** up to
hélas alas!
'héler to hail
herbe *f.* grass
'héros *m.* hero

hésiter to hesitate
heure *f.* hour; **de bonne —**
early; **tout à l'—** presently, just
now, not long ago
heureusement pleased, fortunate,
felicitous
'heurté harsh, clashing, hostile
'heurter (se) to hit, meet, en-
counter
hier yesterday
'hisser to lift
histoire *f.* story
hiver *m.* winter
homme *m.* man; **— du monde**
gentleman
honneur *m.* honor
'hoquet *m.* hiccough
'hors out
hospitalité *f.* hospitality
humains *m. pl.* men
humeur *f.* temper, disposition
humide damp
humidité *f.* humidity
humilier to humiliate

I

ici here; **d'— là** until then
idée *f.* idea
identité *f.* identity
illuminer to brighten up
illustre illustrious, celebrated
image *f.* picture
imaginaire imaginary
imaginatif imaginative
imaginer (s') to imagine
imiter to imitate
immédiatement immediately
immobile motionless
impeccable infallible
impénétrable unfathomable, in-
scrutable
impérieux imperious
importer to be of importance;
peu importe it matters little,

it is immaterial; **que m'importe** what is it to me?

imposer to impose, force upon, command

impotent infirm

impressionnable sensitive

impressionner to impress

imprimé *m.* printed book, print

impuissant ineffectual, impotent

inachevé unfinished

incliner (s') to bow, nod

inconnu unknown, strange, unusual

inconscient unconscious

incrédule unbelieving

incrédulité *f.* incredulity, unbelief

incruster (s') to become incrusted, fixed

inculte uncultivated

indécis indistinct, vague, irresolute

indéfinissable indefinable

indicible unspeakable

indigne unworthy

indigné indignant, shocked

indiquer to indicate

indirectement indirectly

inexprimable unutterable

infectieux infectious

influencer to influence

information *f.* **aller aux —s** to make inquiries

infructueux fruitless

injure *f.* insult

injuste unjust

injustifié unjustified

inné innate

inonder to inundate

inouï unheard of, extraordinary

inquiet uneasy, anxious

inquiéter to disquiet, alarm; **s'—** to be uneasy, trouble oneself, worry

inquiétude *f.* anxiety

insignifiant insignificant

insister to insist, urge

insolite unusual

insomnie *f.* sleeplessness

insouciance *f.* carelessness, indifference, apathy

insouciant careless, unmindful, indifferent

inspecter to examine

inspecteur *m.* inspector

inspirer to inspire

installer to install, settle, arrange

instance *f.* suit; **tribunal de première —** county court

instantanément instantaneously

instinctivement instinctively

institutrice *f.* governess

intarissable endless

interdire to prohibit, forbid

intéresser to interest; **s'—** to concern oneself

intérêt *m.* interest

interposer (s') to interpose, intervene

interrogateur questioning

interrogatoire *m.* examination

interroger to question

interrompre to interrupt

intervenir to intervene

intimidé frightened

intimider (s') to become nervous

intimité *f.* intimacy

intriguer to puzzle

inutile useless, unnecessary

inviter to invite

involontairement involuntarily

invraisemblable unlikely, improbable

irréalité *f.* unreality

irrégulier irregular

isolé isolated

J

jaillir to burst out, flash

jalousie *f.* jealousy

jaloux jealous

jamais ever, never

jambe f. leg

jardin m. garden

jardinière f. flower-stand

jaune yellow

jaunir to turn yellow

jeter to throw, throw away or off, cast, toss, utter; — **au vent** to let fall

jeu m. play, game

jeudi m. Thursday

jeune young

jeunesse f. youth, young people

joie f. joy

joindre to add

joli pretty, handsome

jonc m. rush, reed

joue f. cheek

jouer to play, feign

jouet m. plaything

jouir to enjoy

jour m. day, daylight, light, day "at home"; **en plein** — in broad daylight; **un** — some day, some time

journal m. newspaper

journée f. day

joyeusement joyfully, merrily, cheerfully

joyeux cheerful

judiciaire judicial, legal

judicieux judicious

juge m. judge; — **d'instruction** examining magistrate

jugement m. judgment

juger to judge, think, think it, imagine

juillet m. July

juin m. June

jungle f. jungle; **le Livre de la Jungle** the *Jungle Book* of Rudyard Kipling

jurer to swear

juridique judicial

jurisprudence f. law

jusque to, as far as, even, up to; **jusque-là** up to that time; **jusqu'où** how far?

juste: tout — exactly

justement just, precisely, at that moment

justice f. law-officers, courts

L

là there; **là-dessus** on this subject; **de-ci de-là** here and there

Lacassagne (Jean-Alexandre-Eugène) *French doctor, born 1843; he held the chair of medical jurisprudence at Lyons.*

lâcher to let go

laconique laconic

lactea ubertas (*Latin*) milky richness, productiveness

laid ugly

laine f. wool

laisser to leave, let, allow, let go; — **aller** to let go, neglect, drift; — **faire** not to interfere; **se** — **faire** not to resist, let people do as they please with us

lait m. milk

Lamartine (Alphonse de) *French poet* (1790–1869)

lamentablement lamentably

lancer to cast, hurl, send forth, deal, give, utter

lande f. heath

langage m. language.

langue f. tongue

lapin m. rabbit

large broad, large

larme f. tear

las tired

lasser (se) to get tired

lassitude f. weariness

Lausanne *city in Switzerland*

laver to wash

leçon *f.* lesson; **faire la — à** to coach up
lecture *f.* reading
léger light
légèrement slightly
léguer to bequeath
lendemain *m.* next day; **le — matin** the next morning
lent slow
lentement slowly
lenteur *f.* slowness
lésion *f.* lesion, derangement in the function of an organ
lettre *f.* letter
levant *m.* east
lever to raise; **se —** to rise
lèvre *f.* lip
lézard *m.* lizard
liane *f.* climber, creeper
liberté *f.* liberty; **en —** free
libre free
lié intimate
lied (*German*) song, ballad
lieu *m.* place, reason; **au — de** instead of
ligne *f.* line
limpide clear
limpidité *f.* clearness
linge *m.* linen; **— de nuit** night-dress
lire to read
lis *m.* lily
lisiblement legibly
lisser to smooth
lit *m.* bed
livre *m.* book
livrer to betray
logis *m.* dwelling
loin far; **au —** afar, far and wide; **de —** from afar
lointain *m.* distance
loisir *m.* leisure; **à —** at leisure
long long; *m.* length; **le — de** along; **le — du jour** during the day

longer to go along
longtemps long, a long time; **depuis —** for a long time
lorgnon *m.* eye-glass
lors then; **— de** at the time of; **depuis —, dès —** from that moment, ever since
lorsque when, at the time
loup *m.* wolf
lourd heavy
lueur *f.* glimmer, light
lumière *f.* light
lumineux luminous
lune *f.* moon
lutin *m.* sprite, elf
lutte *f.* struggle, fight, contest
lutter to struggle, fight
luxueux luxurious

M

machinalement mechanically
mage *m.* wise man (*of the East*)
magistrat *m.* judge
magnifique magnificent
maigrir to grow thin
main *m.* hand
maintenant now
maintenir to hold
maire *m.* mayor
mais but; **— non!** no! oh, no!
maison *f.* house
maisonée *f.* household
maître *m.* master, owner
mal ill, badly; **faire —** to hurt
malade sick, ill
maladie *f.* illness, disease
mâle manly
malgré in spite of
malheur *m.* misfortune, unhappiness, accident
malheureusement unfortunately
malheureux unfortunate, unhappy, unlucky, unpleasant
malveillant ill-disposed

manche *f.* sleeve
manège *m.* trick, manœuvres
manger to eat, spend, squander
manière *f.* manner
manqué missed
manquer to lack, fail
manteau *m.* cloak
marais *m.* marsh; **Marais de Saint-Gond** *place where occurred one of the actions of the first battle of the Marne* (1914)
marche *f.* walk, walking
marcher to walk
mare *f.* pond
marécage *m.* marsh
marguerite *f.* daisy
mari *m.* husband
marier (se) to marry
marqué marked, pronounced
marquer to show, appear
marteler to hammer, mark
masque *m.* mask
massif *m.* mass, cluster
matin *m.* morning
mauvais bad
méchant wicked, bad, bad-tempered, savage
méconnu unappreciated
médecin *m.* physician, doctor
médecine *f.* medicine; **— légale** medical jurisprudence
meilleur better
mélancolie *f.* melancholy
mélanger to mix
mêler to mix, mingle
même same, very, self, itself, even
mémoire *f.* memory
ménage *m.* couple
ménager to spare
mener to lead
méningite *f.* meningitis
mensonge *m.* lie, falsehood
menterie *f.* untruth
mentionner to mention
mentir to lie

menton *m.* chin
menu slender, small
méprisant scornful
merci *m.* thanks
mère *f.* mother
merveilleux wonderful
messe *f.* mass (church service); **grand'—** high mass
mesure *f.* measure, extent, capacity; **à —** in succession, one after another; **à — que** in proportion as, as
mesurer to measure, survey
métairie *f.* small farm, farmhouse
mettre to put, place, set, put on; **se — à** to begin
mi half
mieux better, best; **valoir —** to be better; *m.* **au —** for the best
migraine *f.* sick-headache
milieu *m.* middle; **au —** in the middle
mince slender, thin
ministre *m.* minister, secretary of state
miroir *m.* mirror
miroitement *m.* glistening
mis dressed
mode *f.* fashion
moindre least, slightest
moins less; **au —, du —** at least
mois *m.* month
mollement softly, gracefully
monde *m.* world, people, society; **du —** some people; **tout le —** everybody
monnaie *f.* piece of money
monstrueux monstrous
mont *m.:* **par —s et vaux** up hill and down dale
montagne *f.* mountain
Montaigne (Michel de) *French philosopher and moralist* (1533–92)

montant high (*of dress*)
montée *f.* ascent, slope
monter to go *or* come up, rise, get in, fly up, climb
montrer to show, point out
moquer (se) to jeer, sneer, make fun of, laugh at
moqueur mocking, scoffing, scornful
mort *f.* death
mortel mortal, long and tedious
mot *m.* word, note
mouillé soaked
moulin *m.* mill
mourir to die
mousseux frothy, foamy
mouton *m.* sheep
mouvement *m.* motion
moyen *m.* means
muet silent
multiplier (se) to multiply
munir to supply, provide
mur *m.* wall
mûr ripe
mûrir (se) to mature
murmurer to murmur
musique *f.* music
mystère *m.* mystery
mystérieux mysterious
mythique story-telling, inventive
mythomane *m.* mythomaniac
mythomanie *f.* mythomania

N

nain *m.* dwarf
nappe *f.* sheet (*of water*)
narquoisement cunningly, sneeringly
naturel natural
naturellement naturally
navré broken-hearted
ne not; **— pas** not; **— jamais** never; **— que** only; **— rien** nothing; **— pas que** not only

néanmoins nevertheless
nécessaire *m.* necessary
nef *f.* nave
neige *f.* snow
nénuphar *m.* water-lily
nerf *m.* nerve
nerveusement nervously
nerveux nervous
nervosité *f.* nervousness
net clear
nettement clearly
netteté *f.* clearness, distinctness
nez *m.* nose
ni neither, nor
nid *m.* nest
noblesse *f.* nobility
noir black
nom *m.* name; **sans —** nameless, obscure
nombre *m.* number
nombreux numerous
nommer to name, designate
non no; **— plus** neither, either; **— que** — no; **je sais bien que —** I know well that I should not
nord *m.* north
notoire notorious, well-known
nouer (se) to fasten, be tied
nourrice *f.* nurse
nouveau new; **de —** again
nouvelle *f.* news
novice *m.* inexperienced
noyer (se) to be drowned
nu *m.* bareness
nuage *m.* cloud
nuit *f.* night; **de —** by night
nullement by no means

O

obéissance *f.* obedience
obliger to compel
obscurcir (s') to grow dark
obséder to beset
observer to watch, notice

obtenir to obtain
occasionner to cause
occupation *f.* things to do
occupé busy
occuper to occupy; **s'— de** to attend to, look after, trouble oneself about
octroyer to grant
odeur *f.* odor
odieux odious
œil *m., pl.* **yeux** eye; **les — dans les —** straight in the eyes; **yeux largement fendus** large well-formed eyes
officier *m.* officer
offre *f.* offer
offrir to offer
offusquer to offend
oiseau *m.* bird
ombre *f.* shade
ombrer to shade
onduler to wave, curl
opposer to oppose
or now
or *m.* gold; **d'—** golden
orage *m.* storm
orageux stormy
oratoire *m.* oratory
ordinaire: d'— usually
ordonner to order
ordre *m.* order
oreille *f.* ear
orge *f.* barley
orienter to orientate; **— sur** to turn into the direction of
ornière *f.* rut
oser to dare
osier *m.* wicker
ôter to take away, remove, deprive, rid, relieve
ou or, either
où where, when; **d'—** whence
oubli *m.* forgetfulness, oblivion
oublier to forget
oui *m.* yes; **que —** yes

ours *m.* bear
ouvrage *m.* work
ouvrir to open; **— sur** to look out upon

P

paisiblement peaceably
paître to graze
paix *f.* peace
pâleur *f.* paleness
pâlir to grow pale
panier *m.* basket; **— aux provisions** market-basket
panthère *f.* panther
papier *m.* paper
paquebot *m.* steamer, liner
paquet *m.* parcel, bundle
par by, through, on, in, at
paraître to appear
paralyser to paralyze
parc *m.* park
parcelle *f.* part
parce que because
pardonner to forgive
pareil such
parent *m.* relation, relative, parent
paresseux lazy
parfait perfect
parfois at times
parfum *m.* perfume
parfumé scented, savory
parier to bet
parisien Parisian
parlement *m.* parliament
parler to talk, speak
parmi among
parole *f.* word; **adresser la — à** to speak to; **couper la —** to interrupt; **tenir la —** to keep one's word
part *f.* part; **d'autre —** on the other hand; **faire — à quelqu'un de** to share with one,

communicate with one; **prendre — à** to take an interest in

partager to share, partake of

parti *m.* side; **— pris** prejudice; **prendre son —** to make up one's mind

particulièrement particularly

partie *f.* part; **faire — de** to belong to

partir to depart, leave

partout everywhere

parvenir to reach, succeed, come to one's ears

pas *m.* step, pace; **revenir sur ses —** to retrace one's steps

passage *m.* change

passé last, past; *m.* past

passer to pass, call; **se —** to be spent, happen, take place

passionné impassioned, passionate

passionnel passional

passionnément passionately, fondly

passionner to animate

pâté *m.* pie, lump

pathologique pathological

patiemment patiently

patrie *f.* fatherland

patriotique patriotic

patte *f.* leg, claw

pauvre poor, dear

payer to pay, pay for

pays *m.* country

paysage *m.* landscape

paysan *m.* peasant

pédant pedantic

peindre to paint

peine *f.* pain, sorrow, suffering, anxiety, difficulty; **à —** hardly, scarcely

peiner to grieve

peintre *m.* painter

peinture *f.* painting, description

pencher (se) to lean, bend

pendant while, during

pénétrer to penetrate, pervade, enter, get in

pénible painful

péniblement painfully

pénombreux full of shadow

pensée *f.* thought

perçant piercing, sharp

percer to pierce; **— à jour** to see through

percevoir to perceive

perdre to lose

père *m.* father

permettre to permit; **se —** to take the liberty of doing

persienne *f.* blind

personnage *m.* person, character

personnalité *f.* personality

personne *f.* person; **grande —** adult, grown-up

perspective *f.* prospect

perspicacité *f.* perspicacity

pesant heavy, burdensome

peser to weigh, hang heavy

petit little, small; **tout —** when a little boy

peu little, not much, not very, not many, soon; *m.* small amount; **— à —** little by little; **un —** a little, rather, somewhat; **si —** not very

peuplé peopled

peur *f.* fear; **avoir — de** to be afraid of; **faire — à** to frighten

peut-être perhaps

physiognomie *f.* face, features

physiquement physically

pièce *f.* piece; **— blanche** silver coin

pied *m.* foot; **à —** on foot; **mettre — à terre** to dismount

pierre *f.* stone

pimpant smart, spruce

pin *m.* pine

pincer to pinch

piquer to prick, sting, spur, interest, pique

pirouetter to whirl round

pis worse

piste *f.* trail

pitié *f.* pity; **faire —** to move one's pity

place *f.* place; **rester en —** to remain in one place

placer to place, put

plaindre to pity; **se —** to complain

plaire to please, suit

plaisant amusing

plaisir *m.* pleasure, favor; **faire — à** to please

plante *f.* plant

plat flat; **à — ventre** flat on the ground

plein full

pléonasme *m.* repetition

pleurer to cry

pli *m* fold, crease

pliant *m.* camp-stool

plier to fold, bend

plonger to plunge, immerse; **— ses yeux** to look deeply

pluie *f.* rain

plume *f.* feather

plumer to pluck

plupart *f.* majority

plus more; **tout au —** at the most; **de —** more, moreover, additional

plusieurs several

plutôt rather

poche *f.* pocket

poids *m.* weight, burden

poignée *f* handful; **— de main** shake of the hand

point *m* degree; **au — que** to such a degree that

pointe *f.* dash, touch

pointu pointed

poitrine *f.* breast

policier police

politesse *f.* politeness

porte *f.* door, gate

porté inclined, disposed

porter to carry, bear, take, bring. lead, have, give

poser to place, put down, state, rest; **se —** to settle, appear, show oneself

posséder to possess

poste *f.* post, post-office

poteau *m.* stake

pouah ugh!

poulailler *m.* hen-house

poule *f.* hen

poulet *m.* chicken

poupée *f.* doll

pour for, to, in order to, as; **— que** in order that; **— et contre** pro and con

pourquoi why

poursuite *f.* pursuit, persecution, suit; **à sa —** after her

poursuivre to haunt

pourtant however, nevertheless

pourvu que provided that, let us hope that

pousser to push, shove, push open, urge on, utter, grow

poussiéreux dusty

poussin *m.* chick

pouvoir to be able, can, be able to do, may; **se —** to be possible, may be; **je n'y puis rien** I can not help it

prairie *f.* meadow

précédent preceding

précéder to precede

précieux precious

précipitamment hastily

précipiter to throw; **se —** to rush

précis exact; *m.* abridgement, outline

préciser to state precisely, present with clear outlines

précocité *f.* precocity

prédominer to predominate

préférence *f.* choice

préférer to prefer

préjugé *m.* prejudice

premier first

prendre to take, seize, take hold of, catch, assume, consider; **il me prenait** I was seized with

préoccuper (se) to trouble oneself about

préparer to prepare

près near, close, with; **à peu —** nearly, almost; **de —** close, near, closely, intimately

présager to conjecture

présenter to present, introduce

presque almost, nearly; **— plus** scarcely any more

pressé in a hurry

pressentiment *m.* presentiment

presser to press; **se —** to crowd, throng

prêt ready

prétendre to pretend, aspire, assert

prêter to lend

preuve *f.* proof

prévenance kind attention

prévenir to inform, let know

prévision *f.* conjecture

prévoir to foresee

prier to pray, beg of

prière *f.* prayer, entreaty

primer to override, take precedence of

printemps *m.* spring

prise *f.* **être aux —s** to be fighting; **lâcher —** to give way

prisonnier *m.* prisoner

prochain next, not distant, approaching, early

procureur *m.* attorney; **— de la République** prosecuting attorney

produire to produce, cause; **se —** to manifest itself, occur, come

profil *m.* profile; **de —** in profile

profiter to profit, avail oneself

profond deep

profondément deeply, soundly

projet *m.* plan, idea

prolixe diffuse

prolonger to prolong

promenade *f.* walk, drive

promener to drive about; **se —** to take a walk

promesse *f.* promise

promettre to promise

promontoire *m.* promontory

prononcer to pronounce, say

pronostiquer to prognosticate, define

propos *m.:* **à — de** with regard to, about

proposer to propose

propre *m.* characteristic; **en —** in one's own right

propriétaire *m.* owner

prouver to prove

provençal of Provence (*a province of France*)

provoquer to cause

prussien Prussian

psychique psychic

pudeur *f.* modesty

puis then

puisque since

Q

qualifier to qualify

qualité *f.* quality

quand when; — **même** notwithstanding

quant à as for; **quant à quant** at the same time, with

quart *m.* quarter

que that, as, how many, how, why, only (*often untranslated when used pleonastically*)

quelconque whatever, any, some . . . or other

quelque some, several, a few; — **chose** something

quelquefois sometimes

questionner to question

qui que ce soit any one

quitte à at the risk of, free to

quitter to leave, abandon

quoi what; **de** — anything, enough to; — **que ce soit** anything whatever

quotidien daily

R

raconter to relate, tell

radieux radiant

rafale *f.* squall, blow, stroke

raffiné refined, fastidious

raide stiff

raison *f.* reason, sense, argument, excuse; **avoir** — to be right

raisonnable reasonable, wise

raisonnement *m.* argument

raisonner to reason with

ralentir (se) to slacken

ramasser to pick up

rame *f.* oar

ramener to bring back

rancune *f.* rancor, grudge

rapide swift

rapidement rapidly, quickly

rapidité *f.* swiftness

rappeler to summon, remind of; **se** — to remember

rapport *m.* relation, connection

rapporter to bring back, bring again

rapproché near

rapprochement *m.* comparison, connection

rapprocher to bring nearer, bring together; **se** — to draw near

raquette *f.* racquet, battledore

rare few

rarement seldom

rassurer to reassure, quiet

rattacher (se) to attach oneself again; **se** — **à la vie** to take an interest in life again

rattraper to catch, overtake

ravi delighted

ravissant charming

ravissement *m.* delight

rayon *m.* ray

rayonnant radiant

rayonner to beam

réaliser to convert into money

réalité *f.* reality

rébarbatif cross, forbidding

rebuffade *f.* rebuff

récemment recently

recevoir to receive

réchauffer to warm up; **se** — to get warm

recherche *f.* search, inquiry, investigation

rechercher to seek for, investigate

récit *m.* narrative, tale, story

réciter to recite, say

réclamer to demand, invite

recommandation *f.* request, observation

recommencer to begin again, repeat

reconduire to take back, see home

reconfort *m.* comfort

reconnaissant grateful

reconnaître to recognize

reconstituer to reconstruct
recouvrir to cover
recueillir to collect
reculé remote
reculer (se) to draw back
reculons (à) backward
redescendre to go down again
redouter to fear
redresser (se) to stand up again
réel real
réellement really
réfléchir to reflect, think
reflet *m.* reflexion
refléter to reflect
reflexion *f.* reflection, thought
refouler to drive back, force back, suppress
réfugier (se) to take refuge
refuser to refuse
regagner to reach again
regard *m.* look, glance
regarder to look at, concern
règle *f.* order
régler to determine, settle
régner to reign, prevail
regret *m.* regret, sorrow
regretter to regret
régulier regular
reine *f.* queen
réinstaller to reinstall
rejeter (se) to throw oneself again
rejoindre to rejoin, go back to, join, reach, overtake
réjouir (se) to please
relever (se) to get up
religieux *m.* monk
remarque *f.* remark
remarquer to notice
remémorer (se) to remember
remercier to thank
remettre to put back again, give; **se —** to recover, begin again; **se — en route** to set out again
remis recovered

remonter to ascend *or* go up again, rise, get up; **— à** to date from, go back to; **se —** to recover one's strength
remplir to fill; **se —** to fill up
renard *m.* fox
rencontre *f.* meeting; **à la — de** to meet
rencontrer to meet
rendez-vous *m.* place of meeting; **se donner —** to meet, make an appointment
rendre to render, give up, give, restore, deliver, convey, make; **se —** to go, yield, submit, surrender; **me rendit à moi** restored to me my composure
rendu rendered, become
renfermé taciturn, reserved
renfermer (se) to retire within oneself
renoncer to give up
renseignement *m.* information, indication
rentrer to return, return home, come in
renverser to upset
renvoyer to send back, send away
répandre to spread
reparaître to reappear
reparler to speak again
repartir to set out again
repas *m.* meal
répéter to repeat
répit *m.* respite
réplique *f.* reply, answer
répliquer to reply, answer
répondre to answer
réponse *f.* reply
repos *m.* rest
reposer to rest
repousser to push away, repel
reprendre to seize again, take back, resume, retrace, recover, regain, get, reply, continue

représenter to represent
réprimer to repress, check
reprise *f.*: **à plusieurs —s** several times; **à deux —s** twice
reproche *m.* reproach
reprocher to reproach
reproduire to reproduce
réquisitionner to requisition
réserve *f.*: **demeurer sur la —** to be reserved
réserver to reserve
résister to resist
résolu determined
résolution *f.* decision
résoudre to resolve
respirer to breathe
resplendir to shine
responsabilité *f.* responsibility
ressaisir to seize again
ressasser to examine carefully, repeat over and over
ressentir (se) to feel
ressource *f.* resource; **de —** full of resources
rester to remain, stay; **il en resta** there remained; **il me resta** I had left
résultat *m.* result
retard *m.* delay; **j'avais à peine vingt minutes de — sur vous** I was scarcely twenty minutes behind you
retenir to retain, keep, hold, restrain, take
retentir to resound
retenue *f.* reserve
retirer to take out, withdraw
retomber to fall again
retour *m.* return; **au — de** returning from
retourner to return, turn round; **se —** to turn round
retraite *f.* retreat
retraité retired
retrouver to find again, find,

meet again, recognize; **se — to** be again
réunion *f.* gathering, meeting
réunir (se) to gather
rêve *m.* dream
réveiller to awake, revive
révéler to disclose
revenir to return, recover; **— en arrière** to retrace one's steps
rêver to dream, meditate
revêtir to put on
revoir to see again
révolter to revolt, shock
revue *f.* review
rez-de-chaussée *m.* ground-floor
riant smiling, cheerful, pleasant
riche rich
ride *m.* wrinkle, ripple
rider (se) to wrinkle
rien nothing; **rien que** only
riposter to reply
rire to laugh; *m.* laughter
risquer to risk
rivalité *f.* rivalry
rivière *f.* river
robe *f.* gown, dress
roi *m.* king
rôle *m.* part; **à tour de —** by turns
roman *m.* novel, romance
romancier *m.* novelist
rompre to break
ronflement *m.* ru.mbling, humming
rookery *f.* place where rooks congregate to breed
rose pink; *m.* pink (*color*)
roseau *m.* reed
rouge red
rougeâtre reddish
rougeole *f.* measles
rougir to redden, blush
roulement *m.* rumbling
rouler to roll, pass, worst, take in
roussir to redden

route *f.* road; **grand'—** high road; **en —** on the way
rouvrir (se) to reopen
ruban *m.* ribbon
ruisseau *m.* stream
ruisseler to stream
ruisselet *m.* rivulet
ruminer to muse on, think over
rustique rustic

S

sac *m.* bag, sack
sagace sagacious
sage well-behaved
sagement cautiously, nicely
sagesse *f.* wisdom
saisir to seize, understand, perceive
saison *f.* season
sale dirty
salle-à-manger *f.* dining-room
salon *m.* drawing-room
saluer to greet, bow to
salut *m.* bow, nod
sang *m.* blood
sang-froid *m.* composure
sanglot *m.* sob
sangloter to sob
sans without, were it not for, but for; **— que** *conj.* without
sans-gêne *m.* unceremoniousness, carelessness
santé *f.* health
sapin *m.* fir
satisfaire to satisfy, gratify
saturer to surfeit, weary
sauf except
saut *m.* jump, skip
sauter to leap, jump, skip
sautiller to skip about
sauvage wild, unsociable, shy
sauvagerie *f.* unsociableness, shyness

sauver to save; **se —** to run away, take refuge
savant learned, well-informed; **ce que je suis —** how learned I am!
Savoie *f.* Savoy (*province of France, bordering on Switzerland and Italy*)
savoir to know, know how, manage
savoyard of Savoy, native of Savoy
saxe *m.* Saxon porcelaine
scander to scan, pronounce syllables with emphasis
Schubert (Franz) *Austrian composer* (1797–1828)
sec dry, thin, sharp, blunt, harsh
sèchement sharply
sécher to dry
secouer to shake, shake off
secours *m.* help
secousse *f.* shock
sécurité *f.* security
séduisant seductive, lovely
Ségur, Mme. de *French author of books for children* (1780–1873)
séjour *m.* stay
selon according to
semaine *f.* week
semblable similar, like it
sembler to seem
sens *m.* sense; **dans ce —** to this effect
sensibilité *f.* feeling
sentier *m.* path
sentir to feel; **se —** to feel within oneself
séparer to separate
serein calm, happy
sérénité *f.* serenity
sérieusement seriously
sérieux serious, earnest; *m.* seriousness

serpenter to twine, meander

serré pressed, serried, close, oppressed, heavy

serrer to hold tight, hug, pinch, shake hands

serviette *f.* brief-case

servir to serve; **à quoi sert de** what is the use of? **se — de** to use

seuil *m.* threshold

seul alone, only, single

seulement only, merely

sevrer to wean

si if, whether, what if, suppose; *adv.* so, such, yes

siècle *m.* century

siège *m.* seat

sien (le) his, hers; **les siens** one's relations *or* family

signe *m.* sign, nod; **faire — to** motion, nod

signer to sign

silencieusement silently

silencieux silent

sillon *m.* furrow

simple mere, simple-minded, easy

simplement simply

simplicité *f.* simplicity

sincérité *f.* sincerity

singulier singular, strange

sinistre sinister, forbidding

sitôt que as soon as, immediately

sobriété *f.* moderation

sœur *f.* sister

soigner to take care of, look after, attend to, nurse

soin *m.* care; **avoir — de** to take care of

soir *m.* evening

soirée *f.* evening

soit que whether, or

sol *m.* ground

soleil *m.* sun, sunshine; **au plein — in** the bright sunlight, full of sunlight

solennel solemn

solitaire solitary, lonely

sombre dark, sad, melancholy

somme *f.* sum

sommeil *m.* sleep

sommet *m.* top

son *m.* sound

songer to think, consider

songeur dreaming; **me laissa songeuse** had given me a great deal to think about

sonner to ring, ring for

sonore sonorous

sort *m.* fate

sortie *f.* going out, exit

sortir to go out, come out; **au — de** on coming out of

souci *m.* care, anxiety; **c'est mon — that** is what is worrying me

soucieux careworn, pensive

soudain sudden, suddenly

souffle *f.* breath

souffrance *f.* suffering

souffrant ill, unwell

souffrir to suffer

souiller to soil

soulagement *m.* relief

soulager to relieve

souligner to stress

soupçonner to suspect

soupir *m.* sigh

soupirer to sigh

souple supple, soft

sourcil *m.* eyebrow

sourd deaf

sourdement indistinctly

sourire to smile; *m.* smile

sournois sly, sneaking

sournoisement slily, cunningly

sous under, beneath, in

sous-bois *m.* underbrush

soustraire (se) to escape

soutenir to support, keep up

soutenu sustained, unflagging

souvenir (se) to remember; *m.*

remembrance, recollection, memory

souvent often; **le plus —** most generally

souverain sovereign, supreme

stupidité f. stupidity

subir to submit to, pass through

subitement suddenly

succès m. success

suffire to suffice, be sufficient

suffisamment enough

suggérer to suggest

Suisse f. Switzerland

suite f.: **à la — de** after, as a result of; **tout de —** immediately

suivant following, next

suivre to follow

sujet m. subject; **au — de** about, concerning; **à ce —** on that subject, about this

suppléer to take the place of

supporter to put up with

supprimer to suppress

sûr sure, surely

sur on, upon, over, to, about, towards, concerning

sûrement certainly

surgir to arrive

surprendre to surprise, catch

surtout especially

surveiller to watch over

svelte slender, slim

sympathie f. sympathy

syndrome m. symptoms

T

tableau m. picture

tache f. spot

tâcher to try

taciturne silent

taille f. figure, size; **de — à** big enough to

tailleur m. tailor-made dress

taillis m. copse, underwood

taire (se) to say nothing, be silent

talon m. heel

tandis que while

tant so much, so many

tantôt sometimes, now

taper to strike, stamp

tapisser to carpet, deck

tapisserie f. tapestry

tard late

tardif late

tartine f. slice of bread covered with butter, jam, etc.

tas m. heap

tasse f. cup

taureau m. bull

teint m. complexion

tel such; **— quel** such as it is

télégraphiquement by telegraph

télégraphier to telegraph

tellement so

témoignage m. testimony

témoigner to testify

témoin m. witness

temps m. time, weather; **à —** in time

ténacité f. obstincay

tenailler to torture

tendance f. tendency

tendre tender

tendre to stretch out, hold out, present; **— vers** to strain towards; **se —** to stretch

tenir to hold, result, be owing *or* due to; **— à** to be desirous *or* anxious, care about; **faire —** to convey; **tenez** here! look here! **se —** to stand, remain, refrain; **s'en — à** to stick to, abide by

tenter to attempt, try

terme m. end

terminer (se) to end

terrer f. earth, ground, property; **à —** on the ground, down

terreur f. terror

terreux dirty
terrifier to terrify
testament *m.* will
tête *f.* head; **crier à pleine —** to shout at the top of one's voice; **faire — à, tenir — à** to cope with, oppose
thé *m.* tea
thèse *f.* thesis
tiers *m.* third
tige *f.* stem
tigre *m.* tiger
tilleul *m.* linden
tirer to draw, pull, obtain
toilette *f.* dress, attire
toiser to observe, eye from head to foot
toit *m.* roof
tombe *f.* tomb, grave
tomber to fall, droop
ton *m.* tone, accent
tonnerre *m.* thunder
toréador *m.* bull-fighter
torpeur *f.* torpor
torrentiel torrent-like
tort *m.* wrong; **avoir —** to be wrong
torturer to torture
touffu leafy, thick
toujours always, ever, still
tour *f.* tower
tour *m.* turn; **— à —** by turns; **faire le — de** to go round; **faire un —** to take a walk
tourment *m.* torment, anguish, anxiety; **se faire du —** to worry
tourmenter to torment, tease, annoy
tournant *m.* turn, bend
tourner to turn
tournure *f.* appearance
tout all, whole, every; *m.* all, the whole, everything; *adv.* wholly, entirely, quite, all; **— à fait**

quite, altogether, wholly, exactly; **— en** while
tracer to trace, mark out
traduire (se) to be translated, manifest itself
tragique tragic
traîner to drag; **se —** to lag behind
trait *m.* act, piece, feature, trait
traiter to treat
traître treacherous
trame *f.* plot
tranquille calm
tranquillement calmly
tranquillité *f.* peace
transfert *m.* transfer
transformer to change
transmettre to convey
transpirer to transpire
travail *m.* work
travailler to work
travailleur *m.* worker
travers: à — de through
traverser to cross, pass through
tréfonds *m.* bottom
tremblement *m.* trembling
trembler to tremble
tremper to soak
très very
tressaillir to start, tremble
triomphant triumphant
triomphe *m.* triumph
triste sad, melancholy
tristesse *f.* sadness, melancholy, sorrow
tromper (se) to be mistaken
trop too much, too
trouble *m.* agitation, uneasiness
troubler to disturb; **se —** to be uneasy
trouée *f.* opening, gap
trouver to find; **se —** to be
tuer to kill
tutoyer to thou (*address in 2nd person sing.*)

U

usage *m.* custom, way, habits of society
usé broken, weak
user to exercise, show, wear out, exhaust

V

vache *f.* cow
vagabonder to wander
vain useless
vaincre to conquer, overcome
valide able-bodied
valoir to be worth
vaniteux vain
varier to vary
vase *f.* mud
veille *f.* day *or* night before
veiller to watch, look after
veine *f.* vein
vendre to sell
venir to come; — **de** to have just; **en** — **à** to bring oneself to, be reduced to, at last . . . ; **il en venait** there came
Venise Venice (*city in Italy*)
vent *m.* wind
ventre *m.* belly
venue *f.* coming, arrival
vêpres *f. pl.* vespers
véracité *f.* veracity
verbiage *m.* empty talk, twaddle
verdâtre greenish
verdure *f.* verdure, green
verger *m.* orchard
véridique credible
véritable real, genuine
vérité *f.* truth
vers *m.* verse
vers towards, over by
vert green

vêtement *m.* garment, clothes
vétérinaire *m.* veterinary surgeon
veuf widowed
veuve *f.* widow
vexer to vex
vibrant vibrating
vibrer to vibrate
victoire *f.* victory
Victor Emmanuel II, *king of Italy from 1860 to 1878*
vide empty
vider to empty
vie *f.* life; **avoir la** — **dure** to die hard, have nine lives
vieillard *m.* old man
vieillir to grow old
vieux old
vif animated, keen
vigilant watchful
vilain ugly, bad, naughty
ville *f.* town, city
violemment violently
visage *m.* face
visiblement visibly
visiter to visit
visiteur *m.* visitor
vite quickly
vitre *f.* pane of glass
vivacité *f.* vivacity
vivant living, alive
vivre to live
vocable *m.* word
vœu *m.* wish
voici here is *or* are
voie *f.* way, track; **entrer dans la** — follow the course
voilà behold, there is *or* are; — **que** now, all at once
voile *m.* veil
voiler to veil, conceal
voir to see; **voyons** come!
voisin neighboring, next; *m.* neighbor
voisiner to visit one's neighbors

voiture *f.* carriage
voix *f.* voice; **à haute —** aloud; **à mi- —** in a low tone
volontaire voluntary, obstinate
volontairement voluntarily
volonté *f.* will, inclination
volontiers willingly, readily
volubilité *f.* rapidity
vouloir to like, wish, want; **en — à** to have a grudge against; **— dire** to mean; **— bien** to be willing
voyage *m.* travel, trip
voyageur *m.* traveller
vrai true, real
vraiment truly, really
vue *f.* sight; **ma —** sight of me, seeing me

Étudiez le paysage
"   les gallicismes
"   les synonymes
"   la grammaire
"   le contraire
"   la famille de verbes
L'emploi de temps

soit - disant - so they say -